dtv

Ein Mensch von siebzehn Jahren fliegt vom Gymnasium, das kommt vor. Für Weigand selbst ist das nicht tragisch, denkt er doch sowieso nur ans Schreiben. Und daran, endlich erwachsen zu werden und die drei Dinge zu haben, die es dazu braucht: eine Frau, eine Wohnung und einen selbstgeschriebenen Roman. Genau in dieser Reihenfolge. Mit Gudrun ist er so gut wie verlobt. Sie besitzen schon ein gemeinsames Sparkonto, ansonsten haben sie aber beschlossen, keusch ihrer wahren Vereinigung entgegenzusehen. Die Mutter sieht die Zukunft ihres Sohnes jedoch praktischer und findet für ihn eine Lehrstelle. Gleichzeitig druckt das Lokalblatt erstmals einen seiner Texte. Ein Doppelleben beginnt ... Das Porträt eines Künstlers als Lehrling des Lebens: »Manche Sätze möchte man sich wie Glücksbringer in die Jackentasche stecken.« (Natascha Freundel in der ›Berliner Zeitung‹)

Wilhelm Genazino, geboren 1943 in Mannheim, arbeitete zunächst als freier Journalist, später als Redakteur bei verschiedenen Zeitungen und Zeitschriften. Daneben machte er sich als Hörspielautor einen Namen. Als Romanautor wurde er 1977 mit seiner ›Abschaffel‹-Trilogie bekannt. Für sein umfangreiches Werk wurde er mit zahlreichen Preisen geehrt, zuletzt mit dem Georg-Büchner-Preis 2004, der renommiertesten Auszeichnung für deutschsprachige Literatur. Der Liebhaber spanischer Literatur, der lange Jahre in Heidelberg gewohnt hat, lebt seit 2004 in Frankfurt.

Wilhelm Genazino

Eine Frau, eine Wohnung, ein Roman

Deutscher Taschenbuch Verlag

Von Wilhelm Genazino
sind im Deutschen Taschenbuch Verlag erschienen:
Abschaffel (13028)
Ein Regenschirm für diesen Tag (13072)
Die Ausschweifung (13313)
Fremde Kämpfe (13314)
Die Obdachlosigkeit der Fische (13315)
Achtung Baustelle (13408)

Ungekürzte Ausgabe
April 2005
4. Auflage November 2006
Deutscher Taschenbuch Verlag GmbH & Co. KG,
München
www.dtv.de
Lizenzausgabe mit Genehmigung des Carl Hanser Verlags

Umschlagkonzept: Balk & Brumshagen
Umschlaggestaltung: Stephanie Weischer unter Verwendung einer
Fotografie von Zefa/Martin Meyer
Satz: Fotosatz Reinhard Amann, Aichstetten
Druck und Bindung: Druckerei C. H. Beck, Nördlingen
Gedruckt auf säurefreiem, chlorfrei gebleichtem Papier
Printed in Germany
ISBN-13: 978-3-423-13311-1
ISBN-10: 3-423-13311-2

Eine Frau, eine Wohnung, ein Roman

I

Mit siebzehn trudelte ich ohne besondere Absicht in ein Doppelleben hinein. Kurz zuvor war ich vom Gymnasium geflogen und sollte, auf Drängen meiner Eltern, eine Lehrstelle annehmen. Ich selbst wußte damals nicht, welchen Beruf ich »ergreifen« könnte. Ich war ratlos, wollte aber meine erschrockenen Eltern beschwichtigen. Eine Lehre wollte ich nicht beginnen, aber schließlich gab ich dem Druck nach und ließ mich von der Mutter in verschiedenen Personalbüros vorstellen. Die Bewerbungsgespräche verliefen in einer gedrückten und peinigenden Atmosphäre. Jedesmal, wenn ich hinter meiner Mutter ein Chefzimmer betrat, fühlte ich mich von neuem eingeschüchtert. Anstatt einen guten Eindruck zu machen, hörte ich bloß zu und schaute mich um. Die Chefs gefielen mir nicht, ich gefiel den Chefs nicht. An diesem Morgen lief es besonders schlecht. Wir saßen dem Chef einer Großgärtnerei gegenüber. Er hielt mein Abschlußzeugnis in Händen und unterdrückte seine Bedenken nicht. Auch die Allgemeinbildung eines Gärtners muß überdurchschnittlich sein, sagte der Chef und sah mir direkt ins Gesicht. Ich traute mich nicht zu sprechen, meine Mutter gab die Antworten für mich. Sie suchte nach immer neuen Erklärungen für meine schlechten Noten. Eben sagte sie, daß auch der Chirurg Ferdinand Sauerbruch ein sehr schlechter Schüler war und dann doch ein weltberühmter Chirurg geworden ist. Der Chef und ich waren verblüfft. Beide betrachteten wir meine

Mutter. Wie kam sie nur dazu, mein elendes kleines Schülerleben mit Ferdinand Sauerbruch in Verbindung zu bringen? Der Geschäftsführer wollte wahrscheinlich hören, ob ich überhaupt sprechen und ob ich zusammenhängende Sätze bilden konnte. Ich blieb verstockt, ich brachte die Lippen nicht auseinander. Ich sah dem Chef ins Gesicht und doch an seinem Gesicht vorbei nach draußen. Hinter ihm gab es ein großes Fenster, das den Blick auf eine belebte Straße freigab. In diesen Augenblicken begann draußen ein Mann, ein neues Plakat auf eine Werbewand zu kleben. Es war ein riesiges buntes Plakat für eine neue Halbbitter-Schokolade. Es dauerte keine halbe Minute, dann war ich in das Wort halbbitter vertieft. Ich begriff, daß ich mich selbst in einer halbbitteren Situation befand und daß mir das Plakat half, meine Lage zu verstehen. Über diese unerwartete Hilfe empfand ich plötzlich Dankbarkeit. Ich wollte mir das Wort am liebsten aufschreiben, aber das ging im Augenblick nicht, also merkte ich mir das Wort. Die Wahrheit ist, daß ich seit meinem fünfzehnten Lebensjahr fast täglich mit Literatur beschäftigt war. Ich las und schrieb und schrieb und las. Ich brachte kleine Skizzen und Kurzgeschichten hervor, die ich wahllos an Redaktionen von Zeitungen und Zeitschriften schickte. Das Spektrum reichte von einer Wochenschrift mit dem Titel ›Lukullus‹, einer sogenannten Kundenzeitschrift, die damals in der Metzgerei auslag, in der wir einkauften, bis hin zum Münchner Simplicissimus, einer Satire-Zeitschrift mit berühmter Vergangenheit, von der ich damals freilich nichts wußte. Nach weiteren zwei Minuten signalisierte uns der Chef, daß das halbbittere Vorstellungsgespräch, kurz bevor es ganz bitter wurde, beendet war und daß wir gehen sollten. Mutter schob mein letztes Schulzeugnis zurück in ihre Handtasche. Es war klar, daß ich kein Gärtner werden mußte, und ich war nicht böse drum. Es tat mir leid, daß Mutter meinetwegen betrübt war. Auch in der Straßenbahn, während der Heimfahrt, löste sich die Beklemmung nicht. Ich hoffte, daß mir Mutter keine Vorwürfe machen würde. Tatsächlich blieb sie still. Wenigstens dafür wollte ich ihr danken, aber ich brachte auch jetzt den Mund nicht auf. Draußen schnippte ein junger Mann seine Kippe gegen die Straßenbahn, in der wir saßen. Dummerweise mußte ich darüber kurz lachen. Sofort sah Mutter zu mir herüber. Sie verstand nicht, wie ich nach diesem enttäuschenden Tag kichern konnte, wenn auch nur kurz. Ich verstand es selbst nicht. Aus Verärgerung schaute Mutter mit absichtlicher und größtmöglicher Fremdheit an mir vorbei. Ich behielt für mich, daß ich diesen aufgespaltenen Blick (nicht angeschaut werden, aber doch gemeint sein) noch weniger verstand als mein Lachen.

Zu Hause warteten angenehmere Überraschungen auf mich. Zwei Zeitschriften, eine Tierschutz-Illustrierte und das Mitteilungsblatt des Apotheker-Verbandes, hatten kurze Texte von mir gedruckt und mir Belegexemplare geschickt. Ich setzte mich in die Küche, las meine Beiträge und freute mich. Mutter hatte sich in das Schlafzimmer zurückgezogen. Ich glaube, es verblüffte mich nicht, daß meine Texte gedruckt wurden. Schon als Siebzehnjähriger hätte ich mich Schriftsteller nennen dürfen, was ich mich jedoch nicht traute. Es war klar, die Lehre, in die ich früher oder später eintreten würde, war nichts weiter als eine Übergangslösung. In Wahrheit wollte ich schreiben, hauptberuflich, und zwar sofort. Wie ich das anstellen sollte, wußte ich freilich nicht, und ich war deswegen bekümmert. Ich verstaute die beiden Belegexemplare und öffnete die anderen Briefumschläge. Es handelte sich um

Rücksendungen von Manuskripten, die nicht angenommen worden waren. Ich las auch sie noch einmal durch und fragte mich, warum sie abgelehnt worden waren. Die noch Ansehnlichen unter den Manuskripten steckte ich in neue Briefumschläge und adressierte sie an die Redaktionen anderer Zeitschriften. Ich horchte in die Stille der Wohnung, es rührte sich nichts. Es war nicht gut, nach einer fehlgeschlagenen Bewerbung allzu lange allein in der Küche sitzen zu bleiben. Der Rauswurf aus dem Gymnasium lag jetzt drei Wochen zurück. Bis zum kommenden Frühjahr, wenn ich die dann hoffentlich gefundene Lehrstelle antreten würde, hatte ich noch ein paar Monate freie Zeit, die ich mit Schreiben, Umhergehen und Nachdenken verbringen wollte. Mutter verließ das Schlafzimmer nicht. Sie redete schon lange nicht mehr über ihre Angelegenheiten. Als ich vierzehn war, riet ich ihr, sich scheiden zu lassen. Ich hatte mir damals vorgestellt, sie würde mich dann an der Hand nehmen und wir würden zusammen ein anderes Leben beginnen. Aber Mutter fand nicht die Kraft zu einer Flucht, im Gegenteil, sie wurde von Jahr zu Jahr stummer und schwächer. Sie merkte nicht einmal, daß ich mit ihr am Tisch saß und sie immerzu aufbruchsbereit anschaute. Jetzt sah ich auf meine nichtfrankierten Briefumschläge. Erwünschte und unerwünschte Einsamkeiten flossen ineinander. Je stiller es wurde, desto mehr staute sich hinter der Ärmlichkeit des Tages die Vermutung von der Ärmlichkeit des ganzen Lebens. Diese Vermischungen durfte ich nicht zulassen. Ich nahm die Briefumschläge und verließ die Wohnung.

Die Schalterhalle der Post war um diese Zeit angenehm leer. Während ich Briefmarken aufklebte, sah ich an einem Schalter ganz links einen offenbar liegengebliebenen Bund mit hellroten Rosen. Niemand kümmerte sich um den mit feinem Papier eingewickelten Strauß. Mir fiel Gudrun ein, die ich später vom Büro abholen würde. Sie würde sich freuen, wenn ich sie mit Rosen überraschte. Ich ging zu dem Schalter ganz links und kaufte erneut zehn Sondermarken für den bestimmt nicht nachlassenden Versand meiner Manuskripte. Beim Abgang vom Schalter nahm ich den Rosenstrauß an mich und kam damit fast bis zur Drehtür. Doch dann hörte ich hinter mir eine Stimme. Es war die Stimme des Schalterbeamten, der sich für seinen Zuruf sogar erhoben hatte. Gehören Ihnen die Blumen? fragte er quer durch den Raum. Nein, antwortete ich und ging schon zum Schalter zurück, ich dachte, sie sind vergessen worden, ich meine verloren, also übriggeblieben, wenn ich sie nicht mitnehme, werden sie vielleicht sogar weggeworfen. Ach! sagte der Schalterbeamte. Die Blumen können Sie doch nicht einfach mitnehmen! Bestimmt kommt gleich jemand zurück, dem die Rosen wirklich gehören, also! Der Mann nahm mir die Blumen ohne weiteres aus der Hand, beziehungsweise ich streckte sie ihm über den Tresen entgegen. Ich nahm mir nicht mehr die Zeit, den Mann beim Kopfschütteln zu betrachten, sondern drehte mich rasch um und verließ schnellstens die Post.

Zum zweiten Mal an diesem Tag traf mich, freilich in einem minder schweren Fall, die Tücke des Scheiterns. Im Grunde war ich weder dem ersten noch dem zweiten Fall gewachsen. Ich ging sprachlos umher und schaute danach, was auf den Rücksitzen geparkter Autos herumlag. Nach einiger Zeit fing ich an, die von mir gesehenen Gegenstände beim Namen zu nennen. Zeitschrift. Straßenkarte. Einkaufsnetz. Pelzmütze. Orangen. Wolldecke. Handschuhe. Babyschnuller. Pfeife. Sonderbarerweise verlor ich durch die Aufzählung der Dinge das Gefühl des Ausgeliefertseins. Ich ging durch etwa drei Straßen, sah am Straßenrand in die Autos und sagte halblaut vielleicht zweihundert Wörter auf. Dann kippte meine Stimmung, ich fühlte mich wieder obenauf. Noch vor zwei Jahren hatte ich, als ich mich hier herumtrieb, nach einem sogenannten Literaten-Café gesucht. In Büchern hatte ich immer wieder gelesen, daß sich Schriftsteller in Cafés treffen und dort sogar schreiben. Leider war meine Suche ohne jedes Ergebnis geblieben. Es gab in meiner Stadt weder Literaten-Cafés noch Schriftsteller. Immerhin hatte ich bei der Suche ein paar Cafés kennengelernt, zum Beispiel das Café Hilde, das ich jetzt wieder betrat. Es war ein großer, düsterer Raum mit dunkelbraunen Tapeten und ein paar tiefhängenden Kugellampen. Das Café Hilde (und ein erheblicher Teil seiner Besucher) war aus der Nachkriegszeit übriggeblieben. Es roch nach geronnener Milch, nach Kakaopulver, nach Holz und Kuchenresten. Die einzige Bedienung war eine ältere, stark überschminkte Frau. Sie trug schwarze Wollsocken über den Nylonstrümpfen und Schuhe aus Goldlamé. Über ihre Hüften spannte sich ein knapper Rock und ein langer, ebenfalls zu enger Pullover. Von Zeit zu Zeit ging sie hinter die Theke und zog sich die Lidschatten nach. Ich setzte mich in den hinteren Teil des Cafés, wo ich die Theke und den Eingang im Blick hatte. Außerdem lag rechts von mir die sogenannte Lese-Ecke. Ich suchte vage nach neuen Zeitschriften, denen ich meine Texte schicken wollte. Wenn ich eine gefunden hatte, die mir vielversprechend erschien, notierte ich mir die Redaktionsadresse. Auf der Theke drehte sich eine runde, verglaste Kühlbox, in der, verteilt auf drei Etagen, vier angeschnittene Torten untergebracht waren. Zwei kleine Neonröhren drehten sich mit und tauchten alle Torten in ein einheitliches Bahnhofslicht. Oft, wenn sie wenig zu tun hatte, stellte sich die Bedienung neben die Kühlbox und blickte den sich drehenden Torten nach. Ich sah immer wieder hin und konnte doch nicht klären, warum mich dieses Arrangement fesselte. Eine Frau mit Kind erschien im Café und suchte in meiner Nähe einen Tisch. Die Frau trug eine Einkaufstasche, aus der oben zwei Fische herausschauten. Die Fische, zwei Heringe, waren in Zeitungspapier eingewickelt, aber das Papier war, von der Frau offenbar unbemerkt, zur Seite gerutscht. Deswegen schimmerten jetzt zwei goldgelb geräucherte Heringe unter dem Tisch der Frau hervor. Das Kind sagte zu der Frau: Du bist die allerbeste Mutter, die es gibt. Die Frau war gerührt und schaute zu mir. Ich gab ihr ein Zeichen, daß ich den Satz des Kindes mitgehört hatte und daß ich ihre Rührung verstand. Keine halbe Minute später wollte ich schreiben. Ich nahm einen Briefumschlag aus meiner Jackentasche und beschrieb das sich hier ereignende Szenario. Mit der Mutter und dem Kind fing ich an. Das Kind sagte zu der Frau: Du bist die allerbeste Mutter, die es gibt. Die Frau war gerührt und schaute zu mir. Das Kind sprach, schrieb ich, als hätte es Erfahrungen mit vielen Müttern gesammelt und als sei die eigene Mutter aus vielen Prüfungen als die beste hervorgegangen. Plötzlich befremdete mich mein Text. Es gefiel mir nicht, daß ich das Kind kritisierte. Hatte ich die kleine Szene beschreiben wollen, um das Denken eines Fünfjährigen zu beanstanden? Ich begann, jeden weiteren Satz, bevor ich ihn niederschrieb, danach zu befragen, ob er schön war oder nur aufrichtig, oder vielleicht nur schön, aber nicht aufrichtig; oder intelligent, dafür aber traurig; oder vielleicht schön und traurig, aber leider nicht wahr; oder nur wahr, aber nicht schön; oder nur eindrucksvoll, aber weder schön noch wahr; oder nur interessant, aber nicht eindrucksvoll und nicht wahr und nicht einmal schön. Kurz darauf beendete ich das Schreiben im Café. Ich schaute ein wenig erschöpft in die Runde. Die Einzelheiten gefielen mir, je länger ich sie betrachtete (die braunen Tapeten, die gelben Kugellampen, die sich drehenden Torten, die schwarzen Wollsocken, die goldglänzenden Fischköpfe), aber es war mir vorerst nicht möglich, den wundersamen Frieden, der von ihrem grotesken Nebeneinander ausging, in ein paar beiläufigen Sätzen einzufangen.

Vier Stunden später wartete ich an einer Tankstelle im Industriegebiet auf den Feierabend von Gudrun. Sie war drei Jahre älter als ich und arbeitete als Sekretärin in einem Ingenieurbüro. Ihr Vater war aus dem Krieg nicht nach Hause gekommen, sie wohnte zusammen mit ihrer Mutter in einer kleinen Souterrainwohnung. Obwohl wir uns noch nicht lange kannten, hatten wir bereits ein gemeinsames Sparbuch, in das jeder von uns jeden Monat fünfzehn Mark einzahlte, wofür wir von Gudruns Mutter gelobt wurden. Obwohl wir noch nicht zusammen geschlafen hatten, waren wir uns schon einig, daß wir zwei Kinder haben wollten, einen Jungen und ein Mädchen. Wir wollten kein Risiko eingehen. Erst vor einem Vierteljahr hatte Gudruns Schwester Karin heiraten müssen. Zu einer solchen »Bauchhochzeit« (das war Gudruns Wort) waren wir nicht bereit. Es war uns nicht unheimlich, daß wir uns schon jetzt über das Möbelhaus einig waren, in dem wir in einigen Jahren unsere Einrichtung kaufen würden. Vorerst aber, das sagte Gudrun immer wieder, mußte ich eine Lehrstelle finden, und zwar so schnell wie möglich. Da öffnete sich die Tür des Ingenieurbüros, Gudrun trat heraus. Ich sah ihr dabei zu, wie sie auf mich zuging und dabei ein wenig verlegen wurde. Sie war brünett und zierlich gebaut. Kaum war sie an meiner Seite, fragte sie, was ich heute gemacht hatte. Ich verschwieg, daß ich zwei Stunden im Café Hilde war, weil ich nicht den Eindruck eines Herumtreibers hervorrufen wollte. Statt dessen lieferte ich die neueste Fortsetzung eines wirren Großvortrags, der an diesem Nachmittag mit der riesigen Holzkiste begann, in der Thomas Wolfe das Manuskript seines Romans ›Von Zeit und Strom‹ untergebracht hatte. Ich erklärte weitschweifig, welche Arbeit es für Wolfes Lektor Maxwell Evarts Perkins war, aus diesem uferlosen Manuskript einen lesbaren Roman zu machen. Von Thomas Wolfe ging ich über zu Kurt Tucholskys vier Pseudonymen und zu Tucholskys Selbstmord in Schweden. Von Schweden aus war es nicht weit zu dem norwegischen Dichter Knut Hamsun und dessen Hungerleben in Kristiania, das Hamsun mit einer Flucht nach Chicago beendete. Als letzten Dichter behandelte ich heute Franz Kafka. Ich redete über seine Heimatstadt Prag, die ich selbst nur aus Büchern kannte. Meine Ahnungslosigkeit steigerte meine Leidenschaft. Ich redete über Franz Kafka, als würde ich ihn persönlich kennen und als würde ich jeden Tag etwas Neues aus seinem Leben erfahren. Ein bißchen war es auch so. Ich las in dieser Zeit alles, was ich von ihm und über ihn kaufen konnte, und ich gab jedes neue Detail sofort an Gudrun weiter. Manchmal sah ich während des Gehens zu ihr hinüber und lächelte ihr zu, nein, ich kontrollierte ein bißchen, ob sie mir zuhörte oder ob ich sie langweilte. Erst kurz vor der Haustür der Souterrainwohnung endete mein heutiger Vortrag. Ich ging mit Gudrun in den Hausflur und küßte sie mit einer Erregung, von der wir glaubten, sie sei ein Zeichen unserer Liebe und unserer Zukunft. In Wahrheit ahnte ich, daß ich durch Gudrun hindurchküßte und im Hintergrund Franz Kafka dafür dankte, weil er mich wieder so lebendig gemacht hatte.

Schon eine Woche später stellte mich Mutter erneut in

Personalbüros vor. Am Dienstag gingen wir in eine Süßwarenhandlung, am Mittwoch in eine Reifenfabrik und am Donnerstag in eine Brauerei. Es war ganz offenkundig gleichgültig, welchen Beruf ich ergriff und welche Firma mich einstellte. Weihnachten rückte näher, und ich hatte noch immer keine Aussicht auf eine Lehrstelle. Damals malte und zeichnete ich auch gerne. Deswegen präsentierte mich Mutter auch in ein paar grafischen Betrieben und kleinen Werbeateliers. Sie glaubte, ich würde dort irgendwie zum Künstler ausgebildet werden können. Diese Naivität rührt mich heute sehr. Obwohl Mutter fast immer mit ihren eigenen Lebenskränkungen beschäftigt war, erkannte ich in dieser Einfühlung doch ihre Zärtlichkeit für mich. Leider machte ich auch in den Grafikbetrieben und Werbeateliers keine gute Figur. Dabei wäre es in dem Werbeatelier SIGNUM beinahe zu einer Einstellung gekommen. Der Chef hatte sich überraschend für meine Zeichnungen interessiert, und ich war ebenso überraschend bereit, über die Verwendbarkeit dieser Zeichnungen als Werbevorlagen ein paar Sätze zu sagen, die den Chef aufmerken ließen. Aber dann machte der Chef einen schrecklichen Fehler. Er öffnete, während er meine Zeichnungen betrachtete, eine Flasche Kakao, trank sie halbleer und stellte sie auf seinem Arbeitstisch ab. Sofort ekelte ich mich vor der halbleeren Flasche. Immerzu liefen neue braune Schlieren an der Innenseite der Flasche hinab. Es gelang mir nicht, die Flasche zu ignorieren. Stattdessen beobachtete ich, wie Kakaotropfen zu kleinen Rinnsalen zusammenflossen, und verstummte dabei. Ich merkte nicht einmal mehr, daß der Chef weitere Fragen an mich richtete. Es war klar, daß ich nach diesem Einbruch auch in diesem Atelier leer ausging. Dennoch kam es während der Heimfahrt zwischen Mutter und mir zu einer sanften

Begegnung. Ich hatte Mutter schon vor zwei Monaten Kafkas Brief an den Vater zu lesen gegeben. Wochenlang hatte sie geschwiegen, aber jetzt, in der Straßenbahn, sagte sie plötzlich: Alles, was der junge Herr Kafka schreibt, ist wahr, wortwörtlich. Danach redete sie eine Weile über ihren Vater, ihre Brüder und zuletzt über ihren Mann. Am meisten nahm mich ihre Formulierung »der junge Herr Kafka« für sie ein. Das klang, als sei Kafka gar nicht tot, im Gegenteil, als hätten wir ihn schon öfter gesehen, weil er als junger Herr mit uns im gleichen Haus wohnte. Und jetzt saßen wir zusammen in der Straßenbahn, fuhren nach Hause und begegneten im Treppenhaus vielleicht wieder unserem vortrefflichen Nachbarn Kafka. Mutter ging sogar auf das Spiel ein, das ich kurz darauf erfand.

Würdest du Herrn Kafka, wenn wir ihn im Treppenhaus zufällig sehen, mal zum Mittagessen einladen?

Hat er denn Hunger? fragte sie.

Vermutlich, sagte ich, er arbeitet bei einer Versicherung und verdient wenig.

Und du meinst, er würde sich mit ein paar Pfannkuchen zufriedengeben?

Warum nicht? fragte ich.

Von mir aus gern, sagte sie und lachte.

Erst Mitte Februar gelang es ihr, mich in einer Spedition als kaufmännischen Lehrling unterzubringen. Eineinhalb Monate später, zum 1. April, trat ich in die sogenannte Lehrfirma ein. Ich mußte jetzt täglich von 8.00 bis 17.00 Uhr arbeiten, samstags von 8.00 bis 13.00 Uhr. Mit sechs Angestellten saß ich in einem Raum, der Lagerabteilung genannt wurde. Eine etwa dreißigjährige Kollegin, Frau Siebenhaar, sagte mir, was ich zu tun hatte. Wenn das Telefon klingelte, bestellte jemand entweder einen Fernsehapparat, eine Musiktruhe oder einen Kühlschrank.

Danach schrieb ich einen Lieferschein, damit die Ware ausgeliefert werden konnte. Nach der Auslieferung schaute ich in die Gebührentabelle und tippte die Rechnung. Die Einweisung dauerte etwa zehn Minuten, dann wußte ich über die Arbeitsvorgänge in der Lagerabteilung Bescheid. Am unangenehmsten war, daß es um mich herum immer ein halbes Dutzend Zuschauer gab. Ich nahm an, daß ich ihnen nichts vormachen konnte. Dabei empfand ich nicht viel. Ich erledigte meine Arbeit und lebte abwechselnd in den Bildern des Gelingens und des Nichtgelingens. Immer wieder mußte ich mir klarmachen, daß ich vorerst keine Möglichkeit hatte, den Zustand Lagerabteilung zu beenden. Manchmal fiel mir ein Satz ein, den ich mir sofort notierte. Ich setzte mich an meinen Tisch und schrieb: Was uns zustößt, enthält kein Urteil über uns. Der Satz beeindruckte mich, aber nach einer Weile bemerkte ich, daß ich wieder nicht wußte, ob der Satz schön, wahr oder nur interessant war. Als es Abend wurde, hatte ich immerhin erkannt, daß der Satz das Denken über meine Lage in zwei Hälften spaltete. Einerseits steckte in ihm die Anerkennung der Situation, aus der es vorerst kein Entrinnen gab; andererseits war der Satz bereits ein Triumph über das Nicht-entrinnen-Können. Auf dem Heimweg empfand ich das Wohlgefühl der Innerlichkeit, das aus dem Denken hervorging. Ich ging dazu über, mich in der Mittagspause an einen Tisch mit nicht abgeräumtem Geschirr zu setzen, damit ich ungestörter auf neue Sätze warten konnte. Dennoch war immer zuviel Lärm und Bewegung um mich herum. Außer mir waren noch fünf weitere Lehrlinge eingestellt worden, darunter ein Mädchen. Sie geisterten mit ihren Tabletts zwischen den Tischen umher und trauten sich nicht, sich neben Frau Siebenhaar oder Herrn Bremeier zu setzen. Leider gab es nicht viel, was ich mit den anderen

Lehrlingen besprechen konnte. Sie waren bloß jung und hatten keine geheimen Pläne. Mit einer Ausnahme: Anselm Marquard. Er war schon fast zwanzig Jahre alt und fiel mir durch seine nervösen, fliehenden Bewegungen auf. Er war der einzige, der die Idee meines Selbstschutzes in der Kantine (das Sitzen an unaufgeräumten Tischen) zuerst durchschaute und dann ignorierte. Auf einmal saß er neben mir an einem Tisch mit besonders viel stehengebliebenem Geschirr. Wir lachten über die Worte STAMMESSEN I und STAMMESSEN II auf der Speisekarte. Stammessen I war in der Regel ein Schnitzel mit Bratkartoffel und Salat, Stammessen II war entweder ein Gemüseeintopf, eine Linsensuppe oder ein Eiersalat. Wir fragten uns gegenseitig, ob wir auch eine Stammfrau, eine Stammunterhose oder eine Stammseife hätten. Ich erfuhr, daß Anselm an zwei Abenden der Woche eine Schauspielschule besuchte. Bis zu seiner Abschlußprüfung brauchte er noch mindestens zwei Jahre Unterricht. Auch er war, genau wie ich, nur aus Verlegenheit ein Lehrling. Unser Gelächter zog den Lehrling Peter Sömmering an. Vermutlich glaubte er, daß wir uns Witze erzählten. Er begann, das schmutzige Geschirr auf unserem Tisch zur Essensausgabe zurückzubringen. Anselm und ich überlegten, ob wir ihn daran hindern sollten, aber wir wollten auch nicht unverständlich erscheinen. So schauten wir nur verdutzt dabei zu, wie Sömmering unsere Tarnung Stück für Stück abräumte. Dann beugte er sich über sein Stammessen I und sah uns an. Aber Peter Sömmering erzählte keine Witze, sondern beschwerte sich über die stumpfen Messer.

In dieser Zeit gelang es mir, zur Lokalredaktion des nun schon lange nicht mehr existierenden Tagesanzeigers einen Kontakt herzustellen. Ich drücke das so vage aus, weil ich die Art meiner Annäherung nicht mehr erinnere.

Wahrscheinlich habe ich die Zeitung aufgesucht und den Redakteuren ein paar meiner Sachen gezeigt. Vielleicht habe ich ihnen auch einige Texte geschickt und sie nach einiger Zeit angerufen. Dann kommen fünf Minuten, an die ich mich sehr gut erinnere. Sie gelten einem Lokalredakteur, der sich tatsächlich mit mir einließ. Er war ein gehetzter junger Mann mit bleichem Gesicht und raschen Bewegungen. Ich sagte ihm nicht, daß ich Lehrling war, er interessierte sich auch nicht dafür. Während er mit mir redete, tippte er zwischendurch ein paar Sätze in seine Schreibmaschine, was mich stark beeindruckte. Er wollte nicht einmal wissen, ob ich je im Journalismus gearbeitet hatte. Vermutlich erkannte er, daß ich ahnungslos war. Ich hielt meinen Besuch schon fast für mißlungen, dann stellte mir der Redakteur doch noch eine Frage. Er deutete auf eine kleine Satire, die ich im Simplicissimus veröffentlicht hatte, und wollte wissen, wieviel Zeit ich für einen solchen Text brauche.

Wenn mir klar ist, wie der Anfang und wie der Schluß aussehen soll, sagte ich, sitze ich daran etwa zwei Stunden.

Vermutlich steckte in dieser Antwort die entscheidende Information. Herrdegen (so hieß der Redakteur) brauchte jemanden, der schnell arbeitete. Nach weiteren drei Minuten gab er mir einen »Termin«, das heißt, er beauftragte mich, für seine Zeitung eine Veranstaltung zu besuchen und über sie einen knappen Bericht zu schreiben. Eineinhalb Schreibmaschinenseiten, mehr nicht. Der fertige Artikel sollte ihm am Mittag des folgenden Tages vorliegen.

Nach diesem Gespräch war ich Journalist geworden, vorerst zweimal in der Woche. Mein erster Auftrag war ein Bericht über einen Dia-Vortrag über die norwegischen Fjorde. Dia-Vorträge über fremde Länder waren damals sehr beliebt, die Stadthalle war überfüllt. Die Menge der

Zuhörer schüchterte mich ein. Vorne, dicht neben dem Pult des Vortragsredners, gab es einen Extratisch für die Damen und Herren der Lokalpresse, die der Redner besonders begrüßte. Ich war erregt und machte mir viel zuviel Notizen. Mir war klar, daß ich meinen Artikel nicht am nächsten Morgen im Büro der Spedition schreiben konnte. Ich setzte mich, als ich gegen 23.00 Uhr nach Hause zurückkehrte, an den Küchentisch und begann zu tippen. Während der Arbeit hörte ich Vater schnarchen und Mutter stöhnen. Einmal erschien Mutter im Nachthemd in der Küche und schluckte mit einem halben Glas Wasser zwei Tabletten. Sie lächelte mir zu, fragte aber nichts. Gegen 2.00 Uhr war ich mit meinem Artikel fertig. In der Mittagspause des folgenden Tages brachte ich das Manuskript in die Redaktion des Tagesanzeigers. Herrdegen las den Artikel durch und gab mir nach kurzer Überlegung einen neuen Termin. Ich schloß daraus, daß mein erster Beitrag angenommen war. Tatsächlich erschien er schon einen Tag später in der Zeitung. Erst viele Jahre danach wunderte mich die Einfachheit der Vorgänge. Wie simpel und gleichzeitig großartig es damals war, an eine Tür zu klopfen und nach fünf Minuten arbeiten zu dürfen.

Ab sofort führte ich ein Doppelleben. Tagsüber war ich kaufmännischer Lehrling, abends Reporter. Obwohl die Lehre unangenehme Züge annahm, war mein Leben überraschend aufregend und geheimnisvoll geworden. Nach zwei Monaten wurde deutlich, warum ich trotz meiner schlechten Zeugnisse eingestellt worden war. Die Spedition hatte nicht immer genügend Lagerarbeiter und Beifahrer. Deswegen brauchte sie starke junge Männer, die im Fuhrpark und im Hallendienst aushelfen konnten. Der für mich zuständige Prokurist hatte eine elektrische Klingel auf seinen Schreibtisch anbringen lassen. Wenn er seine

Hand auf den Klingelknopf legte und ich das Klingelzeichen hörte, hatte ich in seinem Büro zu erscheinen. Die Klingel bedrückte mich, aber ich war machtlos. Das heißt, vollkommen machtlos war ich nicht. Immer öfter, wenn ich sein Büro betrat, sagte ich leise zu mir selber: Warte nur ein Weilchen, dann schreibe ich über dich. Diese nicht ausgesprochene Drohung beruhigte mich. Der Prokurist sagte, ich müßte auch den Umgang mit dem Sackkarren lernen. Mit diesem einfachen Satz machte er mich zum Arbeiter. Wenn Not am Mann war, entlud ich jetzt Eisenbahnwaggons oder staute große Kartons (mit Fernsehtruhen drin) auf die Ladeflächen von LKWs. Angeblich gehörte das alles zur Ausbildung. Ich fügte mich, weil ich meine Eltern nicht erneut ratlos machen wollte. Zum Glück war ich außerdem Reporter. Daran dachte ich öfter am Tag, wenn ich mir mißbraucht erschien. Allerdings gefiel mir auch das innere Zwielicht des Doppellebens. Aus den Biographien vieler Schriftsteller wußte ich, daß die meisten von ihnen als Journalisten angefangen hatten. Deswegen wähnte ich mich in ihrer Spur auch dann, wenn ich für den Tagesanzeiger nur über lächerliche oder peinliche Ereignisse zu berichten hatte. Es gab vielleicht sogar einen Humus der Kläglichkeit, der all diesen Schriftstellern am Beginn ihres Lebens gemeinsam war. Schon nach zwei Wochen begann ich, das Leben eines Lagerarbeiters sogar zu schätzen, jedenfalls vorübergehend. Immerhin war ich den lauernden Blicken der Angestellten entzogen. Die Arbeiter beobachteten mich zwar auch, aber ihre Blicke waren ohne Bedeutung und blieben folgenlos. Meine Situation schien mir schon deswegen gerechtfertigt, weil sie mir zu eigenen Beobachtungen verhalf. Besonders das unbegreifliche Leben der Arbeiter fesselte mich. Sie schienen ihre Dumpfheit nicht zu bekämpfen. Sie erlaubte ihnen, als Halbtote durch das Leben zu kommen. Wenn eine Kolonne (vier Sackkarrenfahrer und ein Vorarbeiter) ein paar Waggons entladen hatte, war es den Arbeitern erlaubt, sich einen Schlupfwinkel zu suchen und sich eine Weile auszuruhen. Ich legte mich auf die Oberseite einer großen Kiste und beobachtete die Bewegungen des Staubs. Sobald eine Staubfahne aus dem Sonnenlicht hinausschwebte, erloschen die Staubteile wie winzige Sterne. Und leuchteten wieder frisch auf, sobald sie einen neuen Sonnenstrahl durchquerten. Nicht weit von mir lagen der Lehrling Dieter Obergfell und das Lehrmädchen Anita Winnewisser auf ein paar weichen Torfsäcken, die demnächst an die Gärtnerei ausgeliefert wurden, die mich als Lehrling verschmäht hatte. Die Lehrlinge küßten sich und rauchten dabei und merkten nicht, daß ich ihnen aus einiger Entfernung (und von oben) zusah. Sie streckten die Hände mit den Zigaretten von sich weg und atmeten sich dann doch die Rauchreste gegenseitig in den Mund. Anita Winnewisser ekelte sich deutlich sichtbar, aber sie wußte nicht, wie sie den Ekel abstellen sollte, ohne das Küssen dafür zu opfern. Absolut hoffnungslos war ein älterer Arbeiter, der mit einer Flasche Bier auf einem Betonsockel saß. Er kratzte mit den Fingernägeln das Etikett von der Bierflasche herunter und betrachtete dann das kleine Häuflein von Papierfitzelchen, das sich neben der Flasche sammelte.

In der Firma ahnte niemand, daß ich einen Zweitberuf hatte. Ich redete nicht über das Schreiben, jedenfalls nicht im Betrieb. Ein Problem war, daß ich nach der Arbeit in den Hallen oft selber eingestaubt war. Es gab keine besondere Arbeitskleidung für Lagerarbeiter. Zwischen dem Feierabend und dem Beginn eines Zeitungstermins blieb nicht viel Spielraum. Ich hatte oft nicht einmal Zeit, nach Hause zu gehen und eine andere Hose anzuziehen. So klopfte ich während des Gehens mit der Hand den Staub aus der Kleidung und reinigte mit Spucke die Schuhe. Trotzdem empfand ich Vergnügen an diesen Übergängen, am Wechsel der Atmosphären. Ich betrachtete mich in Schaufensterscheiben und dachte: Schau schau, der als Lagerarbeiter mißbrauchte Lehrling geht zu einer Pressekonferenz. Es gefiel mir, andere Journalisten kennenzulernen, sogar einige bekannte. Es gefiel mir, abends an kalten Buffets zu stehen und irgendwas zu markieren. Es gefiel mir, immer mehr Aufträge zu bekommen, auch von anderen Zeitungen. Es gefiel mir, die Welt der Wichtigtuer und Vereinsmeier kennenzulernen, die ihren Namen in der Zeitung wiederfinden wollten. Das heißt, ich hatte Anteil an der Überheblichkeit des Schreibens und der Schreibenden. Es war nicht nur schön, jeden zweiten oder dritten Tag in der Nacht schreiben zu dürfen und dafür auch noch bezahlt zu werden, wenn auch schlecht. Ebenso anregend war das Eintauchen in eine andere Welt, das Herumsitzen in Foyers und Nebenzimmern, das Studium eines nachlässigeren Lebensstils. Es gefiel mir aber auch, am folgenden Morgen das Hauptgebäude meiner sogenannten Lehrfirma zu betreten und auf das Klingeln des Prokuristen zu warten.

Am Abend eines ziemlich verdreckten Tages sagte mir Gudrun, daß ihre Mutter für drei Tage zu ihrer Schwester nach Berlin verreist sei. Ich glaube, ich verstand diese Mitteilung und begleitete Gudrun diesmal bis in die Wohnung. Gudrun reinigte meine Kleidung und meine Schuhe und sagte mir, daß ich ein Bad nehmen solle. Ich stieg in die Wanne und hörte, wie Gudrun nebenan den Tisch deckte. Zwanzig Minuten später saß ich mit Gudrun weitgehend staubfrei an einem Abendbrottisch. Gudrun stellte das Radio an und erzählte Anekdoten aus ihrem Büro. Das Radio spielte eine Beethoven-Sinfonie, und Gudrun sagte, daß sie neuerdings Mozart mehr schätzte als Beethoven. Mein literarischer Großvortrag begann an diesem Abend mit Henry Miller. Ich schilderte seine Hungerjahre in Paris, als er wie ein Hausierer von Tür zu Tür ging und seine Gedichte verkaufen wollte. Danach erklärte ich, warum Thomas Mann das Abitur nicht geschafft hat. Von Thomas Mann wechselte ich zu Gottfried Benn und seiner schwer erträglichen Gewohnheit, seine Abende in stickigen Bierkneipen zu verbringen. Dort saß er inmitten von schrecklichen Spießern und schrieb seine schönsten Gedichte! sagte ich quer über den Tisch.

Gudrun räumte das Geschirr ab und gab mir eine Flasche Wein zum Entkorken. Gudrun duschte nebenan, ich schenkte mir ein Glas Wein ein und trank es auf einen Zug leer. Gudrun kam aus dem Badezimmer, nahm ihr Glas an sich und setzte sich auf die Couch. Damit es zwischen uns zu keiner Bauchhochzeit kam, hatten wir uns freiwillig bestimmte Grenzen gesetzt. Es war erlaubt, das heißt überraschungsfrei geläufig, daß ich Gudrun von oben in die Bluse und in den Büstenhalter faßte. Es war nicht erlaubt, während des Knutschens seitlich auf die Couch umzukippen und trotzdem weiterzuknutschen. Jetzt sank Gudruns Oberkörper in Richtung Stehlampe um. Kaum lag sie, rückte sie enger zur Lehne hin, damit ich neben ihr noch Platz hatte auf der Couch. Nicht erlaubt war, sich in dieser Lage der Kleidung zu entledigen. Dennoch richtete Gudrun ihren Oberkörper auf und legte Bluse und Büstenhalter ab. Ich beendete meinen Großvortrag und sah auf die halbnackte Gudrun herab. Erlaubt war, daß sie eine Hand unter meinen Hosengürtel schob und die Hand auf meine Unterhose legte. An diesem Abend drang ihre Hand jedoch in meine Unterhose vor und umschloß dort mein aufgerichtetes Geschlecht. Mit herabstürzenden Küssen bedeckte ich Gudruns Busen. Ich hätte gerne so weitergemacht, aber dann kam doch alles ganz anders. Inzwischen war es 21.00 Uhr geworden, im Radio endete die Beethoven-Sinfonie. Die Radiosprecherin sagte: Der Süddeutsche Rundfunk setzt das Programm fort mit einem weiteren Werkstattgespräch zwischen Horst Bienek und einem jungen deutschen Schriftsteller. Ich kannte diese Werkstattgespräche und schätzte sie. An diesem Abend war Heinrich Böll an der Reihe, von dem ich erst kürzlich eine Erzählung mit dem Titel ›So ward Abend und Morgen‹ gelesen hatte. Kurz danach begann das Interview. Heinrich Bölls Meinungen gefielen mir, außerdem mochte ich seine rheinisch singende Stimme. Als er sagte, daß er mit siebzehn oder achtzehn mit Schreiben begonnen hatte, dachte ich an mich selber und war begeistert. Ich stimmte ihm auch zu, als er sagte, daß Bildung im bürgerlichen Sinne jedem Künstler schade, weil sie ihn zu völlig überflüssigen Umwegen zwinge. Eine ganze Weile bemerkte ich nicht, daß mich das Gespräch mit Böll mehr fesselte als die erotischen Ereignisse. Gudrun zog kleinlaut ihre Hand zurück. Heinrich Böll sagte gerade, daß er auf seine Heimatstadt Köln nicht verzichten könne, da dämmerte mir, daß etwas falsch gelaufen war oder ich vielleicht versagt hatte und weiter versagte. Ich hörte immer noch Heinrich Böll zu und sah über Gudrun hinweg, ich starrte gegen die geblümte Tapete und war nicht einmal erstaunt darüber, daß meine Erektion zurückging. Gudrun erhob sich und suchte nach ihrer Bluse und dem Büstenhalter. Ich rechnete damit, daß Gudrun in Tränen ausbrechen oder mich beschimpfen würde. Wahrscheinlich, dachte ich, wird sie dir gleich entgegenschreien, daß sie dich nie wieder sehen will. Erneut kam alles ganz anders. Gudrun blieb ruhig und sagte mit Dankbarkeit in der Stimme: Ich bin froh, daß du nicht nachgegeben hast, wir wollen uns die Zukunft nicht verderben. Wir setzten uns an den Tisch zurück und tranken die Weinflasche leer. Wenn ich mich nicht täusche, hörte jetzt auch Gudrun dem Radiogespräch zu.

2

Mein Zweitberuf nahm immer mehr Zeit in Anspruch. Ich arbeitete inzwischen für alle drei Zeitungen, die in der Stadt erschienen. Das heißt, ich schrieb über eine Veranstaltung, je nach Auftragslage, zwei oder drei Berichte. Die Redakteure der Zeitungen wußten nichts von meinem Doppelspiel, und ich mußte aufpassen, daß ich mich nicht selber verriet. Die Berichte mußten zwar die wesentlichen Nachrichten enthalten, sie sollten sich aber dennoch so lesen, als seien sie von verschiedenen Verfassern geschrieben worden. Nach dem Ende eines Termins fuhr ich jetzt mit dem Taxi nach Hause, damit für meine Camouflage möglichst viel Zeit blieb. Dennoch reichten zwei oder drei Stunden Nachtarbeit oft nicht mehr hin. Wenn die Zeit knapp wurde, mußte ich am nächsten Morgen um fünf aufstehen und bis halb acht den dritten Bericht tippen. Es gefiel Vater, daß ich neuerdings immer öfter eine Eigenschaft (das Frühaufstehen) mit ihm teilte. Für die Arbeit, die ich machte, interessierte er sich nicht. Aber das zeitige Aufstehen war für ihn das Zeichen allerhöchster Seriosität. Während er sich anzog, öffnete er kurz die Küchentür und nickte mir voller Anerkennung zu. Ich verzichtete inzwischen auf das Frühstück, weil es mich zuviel Zeit kostete. Meine Mittagspause opferte ich jetzt fast vollständig für die Auslieferung meiner Manuskripte an die Redaktionen. Es blieben mir höchstens zehn Minuten Restzeit, die ich am Imbiß-Stand eines Kaufhauses verbrachte. Ich bestellte zwei Bockwürste und ein Brötchen und trank dazu eine Tasse Kaffee aus einem Pappbecher. Ich beobachtete die beiden Wurstverkäuferinnen und geriet trotz der Hetze wieder in eine zufriedene Stimmung. Obwohl sie immer wieder die gleichen Bewegungen ausführten, waren die beiden Wurstverkäuferinnen fast jeden Tag guter Laune. Sie kniffen sich gegenseitig in ihre dicken Oberarme und sangen zuweilen merkwürdige Lieder. Zum Beispiel: Camembert und kalte Füß', das ist die Liebe in Paris. Dann mußten sogar einige Kaufhausbesucher kurz lachen. Für ein paar Augenblicke schien es, als gebe es überhaupt nichts Besseres in der Welt, als hier herumzustehen und eine Bockwurst zu verzehren.

Es nahte der 1. Mai, und Herrdegen beauftragte mich mit der Berichterstattung über die Kundgebung der Gewerkschaft auf dem Marktplatz. Ich sollte ausführlich über die Reden der Gewerkschafter schreiben und außerdem ein paar Stimmungsbilder verfassen, die Herrdegen Kitschpfützen nannte. Zum ersten Mal durfte ich ein Großereignis von der Art besuchen, die sich gewöhnlich die Redakteure reservierten. Ich war nicht aufgeregt, als ich am 1. Mai gegen halb elf auf dem Marktplatz eintraf. Arbeiter in Sonntagsanzügen standen herum, tranken Bier und rauchten. Ringsum Tribünen, Fahnen, Lautsprecher, Luftballone, Arbeiterehefrauen und Kinder. Auf einer Bühne war ein mit Planen überdachtes Rednerpult aufgebaut, ein wenig seitlich davon zwei Pressetische. Das Ereignis galt als überregional, deswegen waren mehr Journalisten als üblich anwesend, unter ihnen drei junge Frauen, die ich nicht kannte. Bis die Reden einsetzten, ertönten Arbeiterlieder und Volksmusik. Immer mehr Kundgebungsteilnehmer, die meisten von ihnen Arbeiter, strömten aus den Seitenstraßen auf den Marktplatz. Augenblicksweise fürchtete ich, daß sich unter den Zuhörern der eine oder andere Lagerarbeiter aus der Speditionsfirma befinden und mich beim Prokuristen verraten könnte. Aber dann fiel mir wieder ein, daß ein Arbeiter nicht freiwillig den Mund aufmachte, schon gar nicht gegenüber einem hohen Chef. Von der Bühne herunter beobachtete ich ein Kind, das eine ganze Weile auf den Schultern seines Vaters herumgetragen worden war, jetzt aber zu weinen anfing, als es auf den Boden heruntergehoben wurde. In einer nahen Dachrinne paarten sich zwei Tauben. Das Kratzen ihrer Krallen im Blech der Rinne tönte bis zur Bühne herüber. Es waren zwei beiläufige Bemerkungen, durch die Linda und ich erstmals aufeinander aufmerksam wurden. Linda war eine der drei Journalistinnen, mit denen ich an einem Pressetisch saß. Meine Bemerkung galt einem Redner, der wenig später ein Glas Wasser auf dem Pult abstellte und zu reden anfing. Er hatte ein dreieckiges, spitz nach unten zulaufendes Gesicht und stark abstehende Fledermausohren. Es war ein typisches Nachkriegsgesicht: grau, einsam, mager, faltig. Ich betrachtete den Mann eine Weile und sagte dann mehr zu mir selber als zu den drei Frauen: Der sieht aus wie ein Bruder von Franz Kafka. Linda hatte die Bemerkung aber doch gehört. Sie nahm den Programmzettel der Maifeier in die Hand und sagte dann leise zu mir: Er heißt aber leider nicht Ludwig oder Friedrich Kafka, sondern er heißt Albert Mußgnug und ist zweiter Vorsitzender der IG Chemie. Ich unterbrach meine Mitschrift und lachte Linda an. Aus ihrer Bemerkung schloß ich, daß sich Linda in der literarischen Welt auskannte. Es leuchtete in diesen Augenblicken die Möglichkeit auf, daß ich soeben zum ersten Mal auf einen Menschen gestoßen war, der von der Literatur ähnlich stark gesteuert wurde wie ich. Ich hätte gern sofort mit Linda geredet, aber wir mußten beide aufpassen, was Albert Mußgnug zu sagen hatte. Ich spintisierte noch eine Weile meine Vorstellung aus, daß sich ein bisher geheimgehaltener Bruder von Franz Kafka in unsere Gegend durchgeschlagen hätte und sich unter dem Namen Albert Mußgnug in der IG Chemie betätigte. Obwohl ich Linda noch nicht kannte, war ich schon sicher, daß sie an dieser Idee ebenso großes Vergnügen gefunden hätte wie ich. Gegen 12.30 Uhr ging die Maifeier zu Ende. Ich hatte fast einen ganzen Stenoblock vollgeschrieben und fühlte mich erschöpft und leer. Ich verabschiedete mich von den drei Journalistinnen. Ich war sicher, daß ich Linda früher oder später bei einem neuen Termin wiedersehen würde. Linda war groß und hatte eine weiche Hand. Sie war blond und blaß und ungeschminkt. Sie trug einen hellen Pulli und einen karierten Faltenrock und flache Schuhe.

Unverzüglich machte ich mich auf den Weg in die Redaktion. Herrdegen räumte einen Schreibtisch leer, der bisher als Ablagefläche gedient hatte. Zum ersten Mal schrieb ich in einer Redaktion. Zusammen mit den Kitschpfützen sollte ich fünf bis sechs Seiten schreiben. Kurz nach 15.00 Uhr traf Frau Kremer ein und lieferte zweieinhalb Blatt über die Renovierung des Melanchthon-Gemeindehauses ab. Frau Kremer war eine ältliche, verdrießliche, dabei höfliche Frau, die in der Redaktion für Kirchenangelegenheiten, Kindergärten, Krankenhäuser und das Schulwesen zuständig war. Herrdegen redigierte ihren Artikel und trug ihn persönlich in die Setzerei. Im Türrahmen traf er mit dem Redakteur Wettengel zusammen, der eine scharfe Glosse gegen die SPD-Fraktion ankündigte. Kurz darauf erschien ein zappeliger Mann in einem beigefarbenen Anzug. Er war etwa vierzig Jahre alt und hatte ein schweißiges Gesicht. Mir fiel auf, daß Herrdegen ihn angespannt beobachtete. Dann stellte er uns vor. Das ist Herr Weigand (das war ich), ein junger Kollege, und das ist Herr Angelmaier, ein freier Mitarbeiter. Angelmaier verbeugte sich und gab mir die Hand. Er legte ein Manuskript auf Herrdegens Schreibtisch und sagte: Ich habe etwas geschrieben über die Neubepflanzung der Grünanlage vor dem Hauptbahnhof. Ich schau es mir an, sagte Herrdegen kühl.

Herrdegen wartete, bis Angelmaier den Raum verlassen hatte, dann warnte er mich vor ihm. Ich schaute von meiner Schreibmaschine auf. Angelmaier war fünfzehn Jahre lang Redakteur bei uns gewesen, sagte Herrdegen, aber dann wurde bekannt, daß er korrupt ist. In seiner Wohnung sind haufenweise Möbel, Teppiche, Lampen, Spiegel und andere Sachen gefunden worden, die er sich hat schenken lassen. Angelmaier hat in seine Artikel jahrelang die Namen von Kaufhäusern, Autohändlern, Metallfabriken oder Reisebüros eingeschmuggelt. Herrdegen ging zu seinem Schreibtisch, zog die Schublade auf und holte einen Zeitungsausschnitt heraus. Ich lese Ihnen vor, wie sich das anhörte, sagte Herrdegen. Und er las: An der Ecke von Möbelhaus Schwertfeger und der Miederfabrik Gloria kam es am Donnerstag abend zu einem folgenschweren Unfall. Daß wir das nicht früher gemerkt haben! rief Herrdegen aus. Er kratzte sich und sah mich an. Vermutlich erkannte er, daß ich die Zusammenhänge nicht richtig verstand.

Man hat ihm als Dank für die bloße Erwähnung der Namen diese Geschenke gemacht? fragte ich.

Leider war es viel schlimmer, sagte Herrdegen. Angelmaier ging mit der Zeitung in der Hand zu den Firmen und hat gesagt: Was krieg ich denn dafür?

Ach Gott, machte ich.

Ja, ach Gott, wiederholte Herrdegen. Er drehte sich um und schaute gegen die Wand.

Als er hier rausgeflogen war, wollte er Pressechef eines der Kaufhäuser werden, für die er vorher heimlich geworben hatte, sagte Herrdegen, aber dort wollte man ihn nicht. Bei den anderen Zeitungen war er erst recht unten durch. Herrdegen drehte sich wieder zu mir. Wir wollen natürlich auch nichts mehr mit ihm zu tun haben, sagte er, aber wir verstoßen ihn nicht ganz und gar. So kleine Schmucktexte von dieser Art – Herrdegen hob den Grünanlagen-Artikel ein bißchen in die Höhe – darf er noch schreiben.

Gegen 16.00 Uhr tippte ich die letzten Sätze meiner Kundgebungsbeiträge zum 1. Mai. Herrdegen nahm die Texte entgegen und redigierte sie sofort. Der Hauptartikel sollte als Aufmacher den Lokalteil eröffnen. Herrdegen sagte mir, wieviel Buchstaben die Überschrift und wieviel Buchstaben die Unterzeile eines vierspaltigen Artikels haben durften. Danach gab mir Herrdegen einen Termin für den übernächsten Abend (ein Vortrag über New York im Deutsch-Amerikanischen Institut), dann war ich für heute entlassen. Ich überlegte, ob ich Gudrun anrufen sollte, aber ich war müde, beziehungsweise ich wollte nicht reden. Obwohl ich fast drei Stunden lang getippt hatte, fragte ich mich, was ich *jetzt* schreiben sollte. Ich brauchte Ruhe und Ablenkung. Zugleich sehnte ich mich danach, laufend neue Details über das ruhelose Leben der Menschen zu hören. Noch immer waren Arbeiter und ihre Frauen zu sehen. Sie ahmten ein feierliches Umherwandeln nach, das scheiterte, weil sie nur einmal im Jahr öffentlich umherwandelten. Ich sah ein Café mit scheußlichen Topfpflanzen in den Schaufenstern. Die Pflanzen lehnten auf halber Höhe gegen die Innenseiten der Fensterscheiben, so daß das Café aussah wie ein großes Aquarium, aus dem das Wasser abgelaufen war. Ich hoffte, daß das Café wegen dieser abschreckenden Dekoration nicht überfüllt sei. Aber ich täuschte mich. Zwischen Theke und Garderobenständer fand ich gerade noch einen freien Platz. Ich wollte schnell etwas essen und dann nach Hause gehen. Am Tisch neben mir saß eine komplette Familie. Ich betrachtete die Feuchtigkeit im offenen Mund der Kinder und die Trokkenheit im ebenso offenen Mund ihrer Eltern. Eine Kellnerin stand an der Theke und löffelte einen Teller Suppe aus. Ich wartete, daß sie mich anblickte, aber sie sah immer nur auf das Wischtuch herunter, das neben dem Teller lag. Eine Weile schaute ich verstimmt umher, aber dann ging mir auf, daß vom Übersehenwerden ein Reiz ausging. Ich saß da und betrachtete das Getümmel, dem ich nicht zugehörte, weil ich nicht bedient wurde. An beinahe jedem Tisch bewegte sich etwas Fremdes auf einen belanglosen Höhepunkt zu. Ein starker Eindruck entstand, wenn einzelne Gäste gezahlt hatten und ihren Tisch verließen. Fast jedesmal zog dabei jemand die Tischdecke halb herunter. Eine Küchenhilfe eilte herbei und schob die verrutschte Tischdecke wieder zurecht. Kaum war sie damit fertig, erhob sich an einem anderen Tisch ein anderer Gast und verzog ebenfalls die Tischdecke. Die Küchenhilfe sprang wieder hin und brachte auch diesen Tisch in Ordnung. Am eindrucksvollsten war vermutlich, daß keiner der aufbrechenden Gäste das von ihm verursachte Mißgeschick bemerkte. Ich versank in der Betrachtung der Vorgänge und nannte sie das UNAUFHÖRLICHE. Sollte ich das UNAUFHÖRLICHE beschreiben? Gab es das UNAUFHÖRLICHE überhaupt, oder hatte ich es soeben erfunden? War es möglich, das UNAUFHÖRLICHE isoliert zu beschreiben, oder war es ein Teil der Erfahrungsweise einer

Romanfigur, die ich noch zu erfinden hatte? Drückte das UNAUFHÖRLICHE sich selbst aus, oder war es ein Symbol für etwas anderes? Mir fiel auf, daß ich allein war. Zum ersten Mal seit der Kundgebung dachte ich wieder an Linda. Mit ihr würde ich vermutlich über das UNAUFHÖRLICHE sprechen können. Die Kellnerin hatte endlich ihre Suppe gegessen, aber sie hatte mich noch immer nicht entdeckt. Obwohl ringsum viel Lärm und Unruhe war, wurde es in mir selbst immer stiller. Und wenn es längere Zeit still in mir war, begann ich zu glauben, die mir gutgesinnten Menschen hätten sich heimlich entfernt. Nach etwa zehn Minuten erhob ich mich. Ich achtete darauf, daß ich die Tischdecke nicht verzog. Unterwegs rief ich Gudrun an und verabredete mich mit ihr für den Abend. Gudrun sagte, du arbeitest zuviel. Ich ging darauf nicht ein und erzählte ihr von Herrn Angelmaier. Das UNAUFHÖRLICHE erwähnte ich nicht, ich sagte nur, daß ich nicht bedient worden bin. Gudrun riet mir, ich solle mir bei einer der von den Gewerkschaften aufgestellten Gulaschkanonen einen Teller Erbsensuppe kaufen und dann zwei Stunden schlafen. Ich sagte ihr nicht, daß ich mich vom Geruch der Gulaschkanonen abgestoßen fühlte und schon den Anblick der breiigen Erbsensuppe nicht ertragen konnte. Zehn Minuten später betrat ich die Wohnung der Eltern. Vater war auf der Couch hingestreckt und schlief fest. Er gab keine Reaktion von sich, als ich das Wohnzimmer betrat. Mutter reinigte mit einem Staublappen die Blätter der Zimmerlinde. Beim Verlassen des Raums ging sie zu knapp am Wohnzimmertisch vorbei und zog die Tischdecke ein Stück weit herunter. Auch sie bemerkte ihr Mißgeschick nicht. Als es still geworden war, schaute ich zwischen dem schlafenden Vater und der verrutschten Tischdecke hin und her. Aus dem UNAUF-

HÖRLICHEN war jetzt eine Bedeutung geworden, die unaufhörlich vom Tisch zum Vater hinübersprang und wieder zurück. War der Vater das UNAUFHÖRLICHE, das sich endlich mit Hilfe einer verrutschten Tischdecke ausdrückte? Oder produzierte ich das UNAUFHÖRLICHE in meinem Kopf oder vielleicht nur in meinem Blick? Obwohl ich schlafen wollte, ließ sich die Unruhe meiner Aufmerksamkeit nicht stillstellen. Ich setzte mich auf einen Stuhl in der Nähe des Tischs und belauschte das UNAUFHÖRLICHE.

Die Lagerarbeiter in der Spedition riefen mich inzwischen mit dem Nachnamen. Weigand, sagten sie, hast du eine Zigarette übrig? Oder sie sagten: Weigand, gibst du einen aus? Die Arbeiter erinnerten mich an einen Schmerz aus der Kindheit. Als ich ein Schulkind geworden war, nannten mich Kinder aus unserem Viertel, die mich zuvor jahrelang mit meinem Vornamen gerufen hatten, plötzlich beim Nachnamen. Weigand, zieh ab, sagten sie. Oder: Weigand, halt die Klappe. Vermutlich bemerkten die Arbeiter nicht, daß mich die Aufrufung eines für verschwunden gehaltenen Kinderschmerzes zusammenzucken ließ. Oder sie beobachteten heimlich meinen Schreck und hatten Vergnügen daran, mich momentweise aus meiner Zurückgezogenheit herauszuholen. Der Prokurist war einer der ganz wenigen in der Firma, die auf Form hielten. Obwohl er mich de facto wie seinen Diener behandelte, sagte er gerne: Herr Weigand, würden Sie bitte so freundlich sein ... Oder: Herr Weigand, darf ich Sie bitten?

Eine Woche später gab mir Herrdegen eine Eintrittskarte für ein Rockkonzert in der Stadthalle. Es spielten die LORDS, die ich nicht kannte und die mich nicht interessierten. Herrdegen wünschte ein Stimmungsbild, neunzig Zeilen, mehr nicht. Ich wollte etwa eine Stunde lang Eindrücke notieren und dann wieder gehen. Ich kann mir heute nicht mehr erklären, warum mich die eben sich ausbreitende Rockmusik nichts anging. Vielleicht ist der Grund dafür nicht einmal schwierig, sondern im Gegenteil ganz einfach. Seit dem Rausschmiß aus dem Gymnasium hatte ich im Eiltempo erwachsen werden müssen. Es ist gut möglich, daß mir bei dieser Vergewaltigung erhebliche Teile meiner Jugend abhanden kamen. Es wäre dann außerdem gut möglich, daß ich die Vergnügungen von Jugendlichen, denen das Steckenbleiben in der Jugend erlaubt war, nicht ernst nehmen konnte. Dabei war ich im Umgang mit anderen Menschen nicht streng, im Gegenteil, ich war offen und nachsichtig. Allerdings dachte ich streng, und strenges Denken ist die heimlichste und deswegen härteste Form der Strenge. Hunderte von Jugendlichen strömten zu den LORDS. Die Stadthalle war überfüllt. Tatsächlich waren die Leute, die hier herumhopsten, nicht älter als ich. Sie warfen das Haar nach hinten, sie schrien und lachten, sie tanzten und knutschten sich und verschütteten Bier. Ich ging an der linken Wand des großen Saals entlang und entdeckte am Bühnenende einen Pressetisch, an dem nur eine Person saß und ebenfalls Bier trank: Linda. Sie ließ mich fühlen, daß auch sie sich freute. Linda war wieder nicht geschminkt und nicht herausgeputzt. Der Pressetisch stand direkt an der Wand, ein wenig außerhalb des Lärmkanals. Linda kam von der Nordseeküste, sie sprach einen leicht friesischen Dialekt. Nach einiger Zeit hatte ich das Gefühl, daß sie sich hier, in einer süddeutschen Industriestadt, nicht wohl fühlte, aber ich traute mich nicht zu fragen. Wir saßen mit dem Rücken zum Lärm und sahen uns an. Beim zweiten Bier gab ich zu, daß ich in meinem Inneren Franz Kafka huldigte. Linda lächelte, als sie den Namen Kafka hörte. Es war, als hätte sie nicht sagen wollen: Kafka ist etwas für kleine Jungens. Der von ihr bevorzugte Autor war Joseph Conrad, von dem ich nur wußte, daß er über verrückte Kapitäne und tödliche Südseereisen geschrieben hatte. Gelesen hatte ich noch nichts von Conrad.

Ach diese Seefahrergeschichten, machte ich.

Die Seefahrt ist doch nur eine Metapher, sagte Linda.

Wie meinen Sie das?

Ich meine es konventionell, sagte Linda, eine Metapher steht für etwas anderes.

Wofür?

Bei Conrad ist das Meer ein Symbol für die Verschwisterung von Ehre und Pflicht, sagte Linda.

Ich staunte und trank.

Die Helden bei Conrad sind Männer, die ihre Pflichten lieben, weil sie ein ehrenhaftes Leben führen möchten, sagte Linda; aber niemand kann diesen Männern sagen, was Ehre und Pflicht eigentlich sind. Deswegen wissen sie auch nicht, was ein ehrenhaftes Leben sein könnte. Sie kennen nur das Verlangen danach, sagte Linda.

Sie wollen sagen, sagte ich, Pflicht und Ehre sind nur abstrakte Größen?

Genau, sagte Linda, und weil sie nur abstrakte Größen sind, kann man sie auch nicht erkennen, sondern nur fühlen, das allerdings immerzu, weil sie ohne Anfang und ohne Ende sind, wie das Meer.

Ach so meinen Sie das mit der Metapher und dem Meer! rief ich aus.

Das Wichtigste kommt erst noch, sagte Linda, nämlich die Art, wie Conrad das Problem der Nichtdarstellbarkeit literarisch gelöst hat. Vorher gehe ich aber aufs Klo.

Linda stellte ihr Bierglas ab und verschwand. Ich sah abwechselnd hinauf zur Bühne und dann wieder über das wogende Durcheinander von Köpfen, Haaren und Schultern. Ich hatte mir bis jetzt kaum Notizen gemacht. Ich wußte nicht, was ich über dieses Auf und Ab von Körpern, über dieses Geschüttel von Armen, Händen und Knien schreiben sollte. Ungeduldig wartete ich auf Lindas Rückkehr. Unter den Jugendlichen erkannte ich einen früheren Mitschüler. Mit gestreckten Armen und gespreizten Fingern und offenem Mund schleuderte er seinen Körper um ein Mädchen herum. Eine halbe Minute überlegte ich, ob ich den Saal durchqueren und ihn begrüßen sollte, aber ich kam schnell wieder davon ab. Auch zwischen ihm und mir gab es ein Meer. Am rechten Rand des Saals drückte sich Linda entlang. Ich erschrak, als ich sah, wie schüchtern sie sich bewegte. Linkisch bis zur Verhaltenslosigkeit achtete sie darauf, daß sie nicht von tanzenden Paaren angerempelt wurde. Sie errötete, weil ich sie bei der Rückkehr zum Tisch anblickte. Sie griff nach ihrem Bier und sagte:

Der Ort der Handlung ist bei Conrad die Pflicht, weil aber die Pflicht keinen festen Ort hat, verlegte Conrad den Ort der Handlung auf das Meer, in die ortlose Weite, in die pure und entsetzliche Unüberblickbarkeit.

Ich nickte.

Es war sehr klug von Conrad, sagte Linda, den Handlungsort aufzulösen, denn nur eine aufgelöste Pflicht kann zeigen, daß alle Pflichten endlos und formlos sind.

Meine Bewunderung für Linda war inzwischen in Stummheit übergegangen.

Man kann die Pflicht nicht fassen, man kann sie aber auch nicht aufgeben, sagte Linda.

Die Jugendlichen um uns herum taumelten vor Glück oder Überwältigung oder Erschöpfung.

Und weil die Männer bei Conrad ihre Pflicht nicht aufgeben können, sagte Linda, machen sie aus der Pflicht ihre Geliebte. Sie reden an das Meer hin wie an eine Frau, die niemals glauben mag, daß sie eine Geliebte geworden ist.

Der Lärm im Saal war jetzt so stark geworden, daß eine Fortsetzung des Gesprächs unmöglich geworden war. Eine Kellnerin erschien und stellte noch zwei Bier auf unserem Tisch ab. Die Gitarren und die Drums dröhnten bis unter die Decke. Die Jugendlichen hatten aufgehört zu tanzen. Sie drehten sich nur noch um sich selbst und schrien dabei. Manchmal faßten sie sich an den Händen und verloren sich gleich wieder.

Ich beugte mich zu Linda hinüber und fragte: Das ist nicht Ihr erstes Rockkonzert?

Linda lachte und saugte die Schaumkrone von ihrem Glas herunter.

Wissen Sie schon, was Sie über diesen Abend schreiben werden? fragte ich.

So ungefähr, sagte Linda; über Veranstaltungen dieser Art kann man alles erfinden.

Wir lachten.

Sollen wir gehen? fragte Linda.

Zehn Minuten später verließen wir die Stadthalle. Es war noch nicht 22.00 Uhr, und wir beschlossen, in ein Lokal zu gehen, in dem Lindas Kollegen verkehrten. In Höhe der städtischen Schulverwaltung gestand Linda, daß sie an einem Roman arbeitete. Das heißt, sagte sie, ich habe noch nicht damit angefangen. Ich überlege jeden Tag, wie ich am besten in das Buch reinkomme.

Sie wissen, wovon Sie schreiben möchten?

Gott sei Dank, sagte Linda; der Stoff ist eine Reise auf einem Frachter von Bremerhaven nach New York, die ich mir vor zwei Jahren geleistet habe. Während der ganzen

Überfahrt, zwölf Tage lang, bedrängte mich ein Seemann. Er wollte unbedingt mit mir schlafen, aber ich hatte keine Lust. Ich habe die Reise nur gemacht, weil ich zwölf Tage lang auf einem Schiff sein und dann New York sehen wollte.

Waren Sie völlig frei, oder mußten Sie arbeiten?

Ich habe als Steward gearbeitet, sonst wäre die Reise unbezahlbar gewesen.

Was ist ein Steward?

Küchenpersonal, sagte Linda; ich habe die Mannschaft bedient, morgens und abends. Der Seemann hat geglaubt, weil ich ihm morgens den Kaffee und abends die Suppe hinstelle, könnte er mich auch nachts in seine Koje ziehen.

Und dann? In New York?

New York war am schlimmsten, sagte Linda; ich konnte dem Kerl nicht ausweichen. Für New York hatte ich nur drei Tage Zeit, dann fuhr der Dampfer wieder zurück. Auch an diesen drei Tagen lief er mir hinterher. Er wollte mit mir in ein Hotel gehen. Ich traute mich nicht, ihm einfach davonzulaufen, weil ich mich in New York absolut nicht auskannte. Ein bißchen war ich sogar froh, daß ein Mann mit mir war, weil ich oft Angst hatte. Leider hat er das bemerkt und völlig falsch ausgelegt.

Und die Rückfahrt, wie war die?

Unerträglich, sagte Linda; je länger die Jagd dauerte, desto weniger konnte er fassen, daß nichts klappte. Am Ende hat er mich einfach angefaßt, in der Küche. Ich hatte gerade eine Pfanne in der Hand, die habe ich ihm auf den Kopf geschlagen.

Diesen Roman müssen Sie sofort schreiben, sagte ich.

Und womit soll ich anfangen?

Mit der Pfanne, sagte ich und lachte; nein, mit der Arbeit als Küchenhilfe; nein, mit New York; nein, mit dem

Kerl, daß Sie ihn nicht mochten; nein, fangen Sie mit Ihrer Mutter an.

Mit meiner Mutter?

Sie war doch bestimmt dagegen, daß Sie die Reise machten.

Das ist wahr, sagte Linda.

Den Rest des Weges schwiegen wir. Das Lokal hieß »Zum grünen Baum« und lag am Nordrand der Innenstadt. Es war eine einfache Bierwirtschaft mit hohen, nikotinbraunen Wänden. Es war überfüllt. Sogar in den beinahe dunklen Ecken saßen Menschen an kleinen Tischen und redeten unablässig. Links zog sich eine Theke hin, an der es kaum einen freien Platz gab. Linda bewegte sich auf einen Mann zu (ich dicht hinter ihr), der zwischen vierzig und fünfzig Jahre alt war und den ich bei einem Termin schon einmal gesehen hatte. Er trug einen einreihigen Anzug, dessen dunkelbraune Farbe zu den Wänden des Lokals paßte. Er hatte einen kleinen, fast schmalen Kopf und rauchte Orientzigaretten. Er hieß Kaltenmeier, Wolfgang Kaltenmeier. Linda stellte mich vor, Kaltenmeier wandte sich mir zu und bestellte ein Bier für mich.

Herr Kaltenmeier schreibt an einem Schelmenroman, sagte Linda zu mir.

Mußt du gleich alles verraten, scherzte Kaltenmeier und hob sein Glas.

Ich wußte damals nicht, was ein Schelmenroman ist, aber das war im Augenblick nicht wichtig. Zum zweiten Mal an diesem Abend traf ich auf einen Menschen, der an einem Roman arbeitete. Es entstand dadurch das Gefühl, an einer beträchtlichen Bedeutsamkeit teilzuhaben. Kaltenmeier stützte sich mit beiden Ellbogen auf die Theke und redete mit erfahrungsschwerer Stimme. Er sprach gegen die Flaschen und Gläser im gegenüberliegenden

Buffetschrank, und er hatte es gern, daß es auf beiden Seiten Menschen gab, die ihm zuhörten. Ich merkte, für Linda war Kaltenmeier eine Instanz, auf die es ankam. Er redete jetzt über die Peripetie, auf die sich sein Roman zubewegte. Ich merkte mir das Wort, ich würde es morgen früh nachschlagen. Nach zwanzig Minuten ging Kaltenmeier auf die Toilette. Linda sagte mir, daß er ein Kollege von ihr war und in der Wirtschaftsredaktion arbeitete. Sie fügte hinzu, daß ich ihn nicht auf seine Tätigkeit bei der Zeitung ansprechen sollte. Ich wollte wissen warum, aber da kam Kaltenmeier schon zurück. Er nahm einen langen Schluck und sagte, er sehe sich in der Tradition von Jean Paul und Arno Schmidt. Den Namen Jean Paul hatte ich schon mal gehört, den Namen Arno Schmidt noch nicht.

Nur so, wie Arno Schmidt das vorgemacht hat, sagte Kaltenmeier, kann man heute noch einen Schelmenroman schreiben.

Linda nickte und schob sich näher an Kaltenmeier heran. Obwohl er vermutlich ein wenig betrunken war, blieben seine Sätze klar und eindrucksvoll. Linda und ich hörten ihm bis nach Mitternacht zu. Danach bestellte ich ein Taxi und fuhr beglückt nach Hause. Während der Fahrt war ich überzeugt, daß ich an diesem Abend zwei Schriftsteller kennengelernt hatte, von denen die anderen Menschen, die nicht in so begünstigten Verhältnissen lebten wie ich, bald sprechen würden.

Der Personalchef der Spedition steckte mich für einige Wochen in die Abteilung Registratur. Die Arbeit, die ich hier zu erledigen hatte, war die schlichteste der ganzen Firma; allerdings auch, in meiner besonderen Situation, die für mich passendste. Wegen meines inzwischen anstrengend gewordenen Nachtlebens als Reporter war ich dankbar für ein tagsüber ruhiges Bürodasein. Es gab jeden Tag Berge von Rechnungskopien, Ladelisten, Borderos, Telexen, Buchungsmitteilungen, Lohnlisten, Lagerbestandsmitteilungen, Schadensmeldungen und Briefen, die alphabetisch in die richtigen Ordner einsortiert oder wieder herausgesucht werden mußten. Ich arbeitete allein mit Frau Kiefer, einer etwa dreißigjährigen, stillen Frau. Unsere Schreibtische waren im Winkel von neunzig Grad einander zugeordnet, damit wir uns leicht zuarbeiten konnten. Für das Wort Telefon verwendete Frau Kiefer das damals schon veraltete Wort Fernsprecher. Der Prokurist mit der Klingel auf dem Tisch hatte in dieser Abteilung keinen Einfluß. Frau Kiefer mißbrauchte mich nicht als Laufbursche oder Hausdiener, im Gegenteil, sie fragte mich zuweilen, ob sie mir aus der Kantine etwas mitbringen oder ob sie sonst etwas für mich erledigen könne. Oft trug sie ein weinrotes Kostüm und eine hochgeschlossene weiße Bluse darunter. Mehrmals am Tag sah sie an sich herunter und sagte, daß sie seit der Schwangerschaft zugenommen hätte. Dabei stieß sie eine Sequenz belustigter Töne aus, die sie mit einem Seufzer beendete. Es war Frau Kiefer erlaubt (vermutlich, weil es in der Registratur keinen Publikumsverkehr gab), ihr Kind mit ins Büro zu bringen. Meistens dienstags und freitags krabbelte und rutschte ein etwa zweieinhalbjähriges Kind zwischen den Regalwänden umher und brachte ulkige Wortstöße hervor. Frau Kiefer sah mich dabei an und hatte es gern, wenn ich Vergnügen an den Anstrengungen ihres Kindes zeigte. Frau Kiefer freute sich auf den Betriebsausflug und den nächsten Urlaub mit ihrer kleinen Familie. Sie war mit einem Chemiewerker verheiratet, der sie gelegentlich von der Arbeit abholte. Dann hob sie ihm das plappernde Kind auf den Arm und sah dabei zu mir her, weil sie es auch gern hatte, wenn ich der Kindübergabe zusah. Schon nach ein paar Tagen behauptete ich, für die Berufsschule Tätigkeitsberichte tippen zu müssen. In Wahrheit schrieb ich neuerdings einen Teil meiner Zeitungsartikel in der Schutzzone der Registratur. Frau Kiefer war zwar meine Vorgesetzte, aber sie hatte nicht die Angewohnheit, plötzlich ihren Platz zu verlassen und um mich herumzugehen oder sich gar über mich und meine Arbeit herabzubeugen. Wegen eines Zwischenfalls war ich bei Frau Kiefer seit kurzem besonders gut angesehen. Ich brachte dem Chef der Exportabteilung die Kopie einer Zolldeklaration. In den Augenblicken, als ich das mit einer Glaswand vom übrigen Raum abgetrennte Büro des Exportchefs verließ, erlitt Herr Riedinger einen starken epileptischen Anfall. Ich hatte bis dahin nur undeutlich gewußt, was ein Epileptiker ist, aber jetzt sah ich, wie sich Herrn Riedingers Körper in wenigen Sekunden verkrampfte und wie Herr Riedinger dabei umfiel. Der eher schmächtige Exportchef und der als gehemmt geltende Herr Schäfer stürzten von ihren Plätzen hoch und versuchten, den sich am Boden wälzenden Herrn Riedinger festzuhalten, was ihnen nicht gelang. Der Exportchef gab mir die Anweisung, mich ebenfalls an der Ruhigstellung von Herrn Riedinger zu beteiligen. Ich nickte blöde und beugte mich hinab. Ich bog den seitlich weggedrehten Körper auf den Rücken und setzte mich in der Art eines Reiters auf Herrn Riedingers Brust. Dann klemmte ich ihm meine beiden Knie auf die Schultern. Eine Kontoristin setzte sich auf die Beine, die Chefsekretärin legte sich auf den linken Arm, Herr Schäfer auf den rechten. Eine Telefonistin eilte herbei und knüllte ein weißes Taschentuch zusammen und steckte es in Form eines Knebels in Herrn Riedingers Mund. Zweimal schien es so, daß ich den ungeheuren Kraftstößen aus Herrn

Riedingers Brust nicht standhalten konnte. Nach zwei Minuten ließen die Krämpfe deutlich nach. Die Telefonistin zog das Taschentuch aus Herrn Riedingers Mund, ich stieg von seiner Brust herunter wie nach einem gewonnenen Rennen. Die Kontoristin besorgte ein Kissen und schob es unter Herrn Riedingers Kopf. Ich wollte schon weggehen, aber der Exportchef sagte: Bleiben Sie noch eine Weile, es können Nachkrämpfe kommen. Aber es kamen keine Nachkrämpfe mehr. Die Chefsekretärin öffnete Herrn Riedinger das Hemd und die Hose. Ich setzte mich auf einen Stuhl und betrachtete Herrn Riedingers Gesicht. Zum ersten Mal sah ich, was das ist: Totenstarre, Leichenblässe, Lippenbläue. Herr Riedinger war nicht tot, er war nur total erschöpft und schlief ein. Die Kontoristin fuhr mit dem Handrücken zweimal über Herrn Riedingers Gesicht. Um seinen jetzt reglosen Körper herum bildete sich eine Art Schlafwache, bestehend aus vier Angestellten, zwei Lehrlingen und dem Exportchef. Nach etwa zehn Minuten Schlafwache stöhnte Herr Riedinger. Er verlangte Wasser. Von mir aus hätte die Schlafwache eine ganze Stunde dauern können. Es war schön, dem Kleinlautwerden der Lebenden in der Nähe eines todähnlichen Körpers zu lauschen. Herr Riedinger zog die Knie an und richtete sich auf. Er entschuldigte sich und setzte sich wieder an seinen Schreibtisch. Einige Stunden später, kurz vor Feierabend, erschien er mit einer Flasche Sekt in der Registratur und bedankte sich bei mir. Frau Kiefer erhob sich respektvoll. Sie hatte von meinem Eingreifen schon in der Mittagspause gehört. Als wir wieder allein waren, sagte sie: Ich hoffe immer, daß *ich* nicht in der Nähe bin, wenn Herr Riedinger umfällt.

Sie würden genauso helfen wie die anderen auch, sagte ich.

Da täuschen Sie sich, sagte Frau Kiefer, ich würde ebenfalls umfallen, vor Schreck, und zwar ganz schnell.

Wir lachten.

Drei Feierabende später mußte ich mich beeilen. Ich besuchte für den Tagesanzeiger eine Pressekonferenz, die um 18.00 Uhr angesetzt war. Ich freute mich auf den Termin, weil er im größten und feinsten Hotel der Stadt arrangiert war, und zwar im Salon »Orléans«, den ich von einer früheren Pressekonferenz schon kannte. Eingeladen hatte der Chef des Italienischen Fremdenverkehrsamtes in Deutschland; er sollte über Italien als Urlaubsland sprechen. Als ich eintraf, zeigte sich, daß meine Eile nicht nötig gewesen war. Der Chef des Fremdenverkehrsamtes, Dr. Gianluca Alessio, war noch nicht da. Drei Damen liefen umher und entschuldigten seine Verspätung. Zwei andere Damen servierten auf kleinen Tabletts italienischen Sekt und italienischen Orangensaft. Es machte mir Vergnügen, über die hellblauen Teppiche zu gehen und mich in der Nähe des sanften Lichts der Wandleuchten aufzuhalten. Sieben Kollegen von der Lokalpresse waren anwesend, unter ihnen Linda. Wir nickten uns zu und flüsterten im Aneinandervorbeigehen undeutliche Sätze. Zwei Tische waren eingedeckt, die Kellner standen bereit. Auf den weißen Damasttischdecken standen große Blumenvasen mit üppigen gelben Blumen, deren Namen ich nicht wußte. Spuren gelben Blütenstaubs fielen auf die Tischdecke herab. Ein Saalkellner geleitete zwei weitere Journalisten in den Raum. Linda trug ein schulterfreies, dunkelrotes Samtkleid, das sehr gut in den Salon paßte. Ich sah, daß ihre linke Schulter ein wenig tiefer lag als die rechte. Eine sanfte Peinlichkeit breitete sich aus. Dr. Alessio wird sicher gleich dasein, sagten die Damen und verschenkten Kugelschreiber und kleine Landkarten italienischer Feriengebiete. Die Journalisten schlenderten trinkend und feixend umher, einige schauten schon auf die Uhr. Die Damen bemühten sich nicht länger, ihre Nervosität zu verheimlichen. Linda und ich blieben neben einer Anrichte stehen und redeten dort weiter, wo wir vor ein paar Tagen aufgehört hatten.

Schreiben ist eine Bewegung, die uns mit dem Schmerz vertraut machen möchte, sagte Linda.

Ist es nicht umgekehrt? fragte ich; verwandelt der, der schreibt, nicht die Unübersichtlichkeit des Lebens, das heißt seinen Schmerz, in die Übersichtlichkeit eines Textes?

Das ist eine Illusion, sagte Linda.

Können Sie es etwas genauer sagen?

Die Illusion der Klarheit kommt zustande, sagte Linda, weil der Text immer deutlicher ist als das Leben dessen, der ihn geschrieben hat. Der Text ist sogar klarer als das Leben jedes beliebigen Lesers. Darin liegt die fürchterliche Verlockung der Literatur; das Leben soll endlich dem Text folgen, es soll sich in Klarheit verwandeln.

Aber die Leser spielen doch keine Rolle, sagte ich; oder denken Sie beim Schreiben an den Leser?

Nein, sagte Linda.

Sehen Sie, sagte ich.

Aber daraus sollte man keine falschen Schlüsse ziehen, sagte Linda; jeder Text wendet sich, indem er geschrieben wird, zurück an seinen Verfasser, um ihm den Schmerz zu erklären, der zu seiner Entstehung geführt hat.

Und die Leser? Welche Rolle spielen sie?

Der Leser möchte ebenfalls die Schmerzen erklärt kriegen, sagte Linda; deswegen verstärkt der Leser die Bewunderung.

Welche Bewunderung?

Die Bewunderung dafür, sagte Linda, daß Menschen,

also die unklarsten Lebewesen, die überhaupt existieren, etwas so Klares wie Texte zustande bringen.

Linda redete, ich redete. Wieder beeindruckte mich, was sie über das Schreiben und die Literatur sagte. Noch immer war der Dottore nicht eingetroffen. Die Damen schauten erregt und ängstlich zu den Fenstern hinaus. Es war nicht mehr ausgeschlossen, daß wir gleich nach Hause geschickt wurden. Linda rieb sich so heftig die Augen, daß ich die Quetschgeräusche der Augen im Augenwasser hören konnte. Plötzlich, in einem Moment verstörten Schauens, hatte ich eine schreckliche Vermutung: Der Seemann hatte Linda nach der Rückkehr aus New York doch überwältigt und war gegen ihren Willen ihr Freund geworden. Linda war nur aus Gründen der Liebesabschreckung in unsere Stadt geflohen. Aber die Flucht hatte ihr nichts genutzt. Der Seemann war ihr immer noch auf der Spur und klopfte vielleicht täglich an ihre Wohnungstür. Mit klein gewordenem Mund trank Linda aus ihrem Glas und sagte:

Die Einsamkeit des Werks wiederholt nur die Einsamkeit des Autors, die das Werk hatte auflösen sollen, verstehen Sie?

Ich verstehe schon, sagte ich, aber ich glaube es nicht.

Und nur deswegen, weil auch das Werk die Einsamkeit nicht vertreibt, entsteht dann auch noch die Literaturtheorie.

Ach, machte ich.

Niemand will Literaturtheorie, sagte Linda, glauben Sie mir; es gibt sie nur, weil wir so große Hoffnungen in die Literatur gesetzt haben und die Literatur diese Hoffnungen enttäuscht. Die Literaturtheorie ist ein einziger riesiger Kompensationsakt.

Sie vergessen, sagte ich, daß jedem Text eine Entfernung zugrunde liegt.

Eine Entfernung? Von wo nach wo?

Eine Entfernung des Autors von der Welt! Man kann auch sagen, sagte ich, das Schreiben ist ein Versuch, mit der Welt draußen einen phantastischen Kontakt aufzunehmen.

Absolute Illusion, sagte Linda.

Natürlich, sagte ich, aber die Illusion ist trotzdem wahr und wirklich.

Was? Die Illusion ist wahr und wirklich? Das verstehe ich nicht! rief Linda.

Erst danach, sagte ich, wenn der Kontakt mit der Außenwelt nicht gelungen ist, kehrt der Text wieder zu seinem Verfasser zurück. Aber deswegen darf nicht unterschlagen werden, daß die erste Bewegung des Textes immer nach draußen geht, zu den anderen.

Falsch, sagte Linda, der Text will von den anderen nichts wissen.

In diesen Augenblicken öffnete sich die Doppeltür. Ein gutaussehender Mann trat mit schnellen Schritten in den Raum. Die Damen sprangen auf und riefen fast gemeinschaftlich: Dr. Alessio! Dr. Alessio! Der Mann trug eine schwere Aktentasche und redete beim Gehen. Deutsche Autostrada! Deutsche Autostrada! sagte er. Die Journalisten nahmen Platz. Linda setzte sich neben mich. Sie fragte leise nach einem Detail meiner Literaturvorstellung, aber ich hatte schon vergessen, was ich vor zwei Minuten behauptet hatte. Dr. Alessio trat mit schwungvollen Bewegungen hinter das kleine Vortragspult und entschuldigte seine Verspätung. Dann sprach er über Ligurien, Umbrien und die Cinque Terre. Linda beugte sich über ihren Block und machte sich Notizen. Die dunklen Samtärmel ihres Kleides lagen wunderschön auf dem weißen Damast. Ich zitterte ein bißchen, weil ich über Lindas

Leben so weitreichende Vermutungen angestellt hatte; sie verknüpften mich mit Linda mehr als ein direktes Geständnis.

Am letzten Sonntag im Mai, vierzehn Tage vor dem Betriebsausflug, machte mir Herrdegen ein Angebot. Ich brachte ihm am Nachmittag dreißig Zeilen über ein Kinderfest, das ein Zirkus am Sonntag morgen veranstaltet hatte. Wie immer blieb ich am Rand von Herrdegens Schreibtisch stehen und wartete, bis er meinen Text gelesen hatte. Dann fragte er, ob ich Zeit hätte, im Juli für den Redakteur Wettengel eine Urlaubsvertretung zu machen. Ich fuhr mir mit Daumen und Zeigefinger die Nase entlang und sah auf den Boden.

Wettengel meint, daß Sie das könnten, und ich meine es ebenfalls, sagte Herrdegen.

Ich habe noch nie in einer Redaktion gearbeitet, sagte ich.

Das lernen Sie schnell, sagte Herrdegen, Sie haben ja schon damit angefangen.

Wie lange dauert die Vertretung?

Die ersten drei Wochen im Juli, beginnend mit dem 2. Juli, das ist ein Montag, sagte Herrdegen.

Wann beginnt morgens die Arbeit?

Sie müßten morgens um zehn Uhr erscheinen und täglich drei Seiten füllen. Und den einen oder anderen Termin wahrnehmen, das ist klar.

Bin ich die ganze Zeit allein?

Ich bin da, sagte Herrdegen, Sie können mich jederzeit fragen.

Und was müßte ich genau tun?

Sie müßten die Artikel der anderen Mitarbeiter redigieren, und Sie müssen für jeden Artikel eine Überschrift und eine Unterzeile machen und die Artikel in Satz geben, sagte Herrdegen; Sie müßten für jede Seite einen Seitenspiegel machen und am Abend etwa eine Stunde lang in der Setzerei beim Umbruch dabeisein, falls ein Artikel gekürzt oder umgestellt werden muß oder sonst etwas passiert.

Ich gab mit dem Mund ein paar undeutliche Geräusche von mir.

Sie können schon vorher stundenweise aushelfen, sagte Herrdegen, damit Sie sich bis zum 2. Juli sicher fühlen.

Ich darf mir das überlegen?

Klar, sagte Herrdegen; aber in einer Woche sollten Sie mir Bescheid geben.

Ich freute mich und verabschiedete mich von Herrdegen. Das Wetter war mild, junge Leute trugen ihre Kofferradios spazieren. Ich war mit Gudrun verabredet, wir wollten an diesem Sonntagnachmittag einen kleinen Ausflug mit dem Vergnügungsdampfer machen. Herrdegens Angebot erregte mich. Ich wollte richtig überlegen, ob ich es annehmen sollte oder nicht, aber mir fiel auf, daß ich es bereits angenommen hatte. Ich blieb vor dem Schaufenster eines Blumenladens stehen und zählte zum dritten Mal die Tulpen in einer Vase. Es waren fünf gelbe und vier rote Tulpen, und obwohl sie in ihrer aufgeblühten Farbigkeit verschwenderisch wirkten, sahen sie gleichzeitig ärmlich aus. Das dichte Beieinander von Üppigkeit und Armut interessierte mich, aber ich kam nicht auf den Grund des Widerspruchs. Im Schaufenster eines Tabakwarenladens sah ich eine ehemals weiße, jetzt bräunlich gewordene Steckdose, darin einen Stecker mit schwarz herunterhängendem Kabel, das sich am Boden entlangschlängelnd im hinteren Teil des Ladens verlor. An Werktagen machte es mir Vergnügen, den Menschen dabei zuzuschauen, wie sie nachmittags ganz allmählich in ihre Eigentümlichkeit hineinfanden. Ein übergroßes Maß von öffentlicher Leblosigkeit machte dieses Vergnügen an Sonntagen unmöglich. In den Cafés saßen alte Leute oder tote Paare. Die Frauen schoben mit kleinen Gabeln die Krümel in die Mitte ihrer Kuchenteller, die Männer schauten heimlich zur Tür. Ich fühlte den Drang, ihre Erbarmungswürdigkeit sofort einzudämmen, obgleich mir dazu alle Mittel fehlten. Zum Glück war es nicht mehr weit bis zur Anlegestelle der Ausflugsdampfer. Von der Uferpromenade aus sah ich Gudrun neben einem Kassenhäuschen warten. Sie trug eine beigefarbene Bluse und einen bunten Sommerrock. An ihrem weißen Arm hing eine weiße Handtasche. Sie schaute ein paar Jugendlichen zu, die Federball spielten, das erst in diesem Sommer neu auf den Markt gekommen war und sich rasch durchgesetzt hatte. Das Schiff war mit Ausflüglern fast schon überfüllt. Offenbar waren die Leute dankbar, daß es an Sonntagen wenigstens Schiffsausflüge gab. Gudrun entdeckte mich und winkte mir zu, ich winkte zurück und beeilte mich. Gudrun hatte bereits zwei Fahrkarten gekauft, wir betraten den Landungssteg und fanden auf dem hinteren Deck zwei freie Plätze. Rings um uns hob und senkte sich allgemeines Stimmengewirr und brachte ein wenig Ferienlaune hervor. Beinahe hätte ich dich angerufen und gefragt, ob ich meine Freundin mitbringen darf, sagte Gudrun.

Und? Was hat dich davon abgehalten?

Sie hätte uns vielleicht den Sonntag verdorben.

Oh! machte ich; ist sie so launisch?

Sie hat gerade ihre Verlobung gelöst und findet jetzt, sie hätte voreilig gehandelt, sagte Gudrun.

Zwei Arbeiter lösten die Taue. Mit einer plötzlich hochtourigen Bewegung des Motors löste sich das Schiff vom Kai. Gudrun sah über den Fluß und redete über ihre

Freundin. Ich betrachtete die Möwen, die über den Köpfen der Passagiere mitflogen. Kinder warfen Brotstücke in die Höhe, die von den Möwen im Flug aufgeschnappt wurden. Das Schiff tuckerte jetzt ruhig dahin. Alle Ausflügler hatten ihre Plätze gefunden. Nur Kinder sprangen auf dem Deck umher, knabberten an kleinen Salzbrezeln oder leckten ein Eis. In der heutigen Sonntagsausgabe meines Großvortrags wollte ich darüber reden, warum Hans Fallada in fremde Kassen griff und deswegen ins Gefängnis mußte, warum Joseph Roth im Alter ein Alkoholiker wurde und warum Georg Trakl nicht ohne Drogen überleben konnte und dann doch an ihnen starb. Aber Gudrun hörte mir nicht recht oder überhaupt nicht zu. Vielleicht hatte sie meine Großvorträge auch satt und wußte nicht, wie sie es mir sagen sollte. Ich empfand Schmerz darüber, daß sich das Leben nicht selbst erklärte. Daß ich mit Gudrun nicht über Herrdegens Angebot sprach, empfand ich selbst als leichte Feindseligkeit, gegen die ich jedoch machtlos war. Widerwillig gestand ich mir ein, daß ich oft nicht wußte, worüber ich mit Gudrun reden sollte. Allerdings war ich damals der Ansicht, daß sich ohnehin kein Mensch ein ganzes Leben lang für einen anderen Menschen interessieren konnte. Bei den meisten, zu denen Gudrun vielleicht gehörte, gelang nicht einmal ein Anfangsinteresse. Unglücklicherweise machte Gudrun in diesen Augenblicken einen Vorschlag, mit dem ich überhaupt nicht zurechtkam. Sie sagte, wir könnten doch zusammen einen Tanzkurs belegen. Sie wußte sogar eine Tanzschule, die auch Abendkurse für Berufstätige veranstaltete, dienstags und freitags von 18.00 bis 20.30 Uhr. Natürlich sah ich in einem solchen Tanzkurs eine Bedrohung meiner abendlichen Reportertätigkeit. Dann stellte sich auch noch ein Mißverständnis heraus. Ich hatte verstanden, wir sollten zusammen zum Tanzen gehen. Tatsächlich meinte Gudrun, ich sollte ohne sie einen Kurs buchen, weil sie schon lange tanzen konnte. Das war eindeutig zuviel verlangt. Der Abendreporter, dem gerade die Urlaubsvertretung eines Redakteurs angeboten worden war, sollte sich mit pickligen Jugendlichen zusammentun, um das allgemeine Herumhopsen zu lernen. Unaussprechlich lächerlich! Ich mußte mir Mühe geben, meinen Unmut zu zügeln. Ich versuchte, mit ein paar langen Blicken auf das Wasser meine Seele zu beschwichtigen, damit sie wieder weich und verhandlungsfähig wurde. Sie blieb jedoch hart und störrisch, weshalb ich es mit ein paar ebenso langen Blicken in den Himmel probierte. Ich schaute etwas blöde den Möwen nach und wunderte mich, daß in beiden Worten (blöde Möwen) ein ö der wichtigste Laut war. Gleichzeitig fiel mir auf, daß viele andere Personen auf dem Schiff ebenfalls nach den Möwen schauten, durchaus mit blöden Gesichtsausdrücken. Wurde überhaupt soviel, so oft und so lange nach Möwen geschaut, weil die Menschen in blöden Situationen waren und nicht recht weiterwußten? Genau in diesem Augenblick rettete uns eine einzelne, herabstürzende Möwe. Der Vogel stieß aus einer Höhe von etwa vier Metern mit geöffnetem Schnabel und einem scharfen Schrei in das Vanilleeis eines Kindes herab und trug den kleinen Eisbatzen samt Waffel hoch in die Lüfte. Die Leute rings um das Kind schrien auf und erhoben sich. Das beraubte Kind begann zu weinen, seine Mutter eilte herbei und schloß es in die Arme; sie erbot sich, dem Kind ein neues Eis zu kaufen, aber das Kind lehnte schreiend ab. Andere eisessende Kinder wollten wenigstens eine Eiskugel spendieren, aber auch diese Angebote wehrte das Kind ab. Gudrun sagte immer wieder: Nein! Diese Möwen! Nein! Diese Möwen! Ringsum erzählten sich die

Leute jetzt Anekdoten über freche Tiere. Gudrun sagte, daß sie einmal während eines Urlaubs an einem Seeufer gestanden und dabei von einem Hund angepinkelt worden sei. Langsam beruhigte sich das erschrockene Kind. Es lag in den Armen seiner Mutter und seufzte. Manchmal blickte es hoch in den Himmel. Es war jetzt selber in den Kreis derer eingetreten, die blöde, wortlos und mit offenem Mund den Möwen nachschauten.

3

Eine Party sei eigentlich nicht geplant gewesen, sagte mir Linda später. Sie hatte mich nur bekannt machen wollen mit ein paar Leuten, die für mich wichtig seien. Aber dann kamen immer mehr Kollegen in ihre kleine Dachwohnung. Einige brachten Wein, Cognac und Schnaps mit, andere setzten sich gleich in die Nähe der Bierkästen in die Küche. Als ich in das Wohnzimmer trat, sah ich Linda bei einem fülligen Mann stehen. Linda hatte eine Flasche Bier in der linken Hand, der beleibte Mann ein Glas Rotwein. Das ist Rolf Schube, sagte Linda mit hörbarer Genugtuung in der Stimme. Offenbar war sie stolz darauf, daß der Mann in ihrer Wohnung war. Linda hatte mir schon öfter von dem extrem reizbaren Lyriker Schube erzählt. Seine Empfindlichkeit erlaubte ihm gewöhnlich nicht das gleichzeitige Zusammensein mit mehr als drei Menschen. Schube hatte ein weiches und weißes Gesicht. In der linken Hand trug er ein zusammengefaltetes weißes Taschentuch, mit dem er sich von Zeit zu Zeit den Schweiß auf der Stirn und über der Oberlippe abtupfte. Von Linda wußte ich, daß Schube bei seiner Mutter lebte und deswegen keine Miete zahlen mußte. Er schrieb Musik- und Theaterkritiken, von Fall zu Fall auch über bildende Kunst und Kulturpolitik. Jetzt sprach Schube schneidige Sätze über Benn, Ezra Pound und Saint-John Perse, die *gute Anlagen* hatten, aber nicht zum Kern der modernen Existenz vorgedrungen seien, sagte Schube. Er ging dazu über, sich mit dem Taschentuch auch den Hals und den Nacken abzuwischen. Ich fürchtete, Schube könne mich für einen Lyriker halten oder mich gar fragen, in welche Traditionslinien ich mich selber einordnete. Deswegen war ich froh, als plötzlich, in Begleitung von Kaltenmeier, der Lokalreporter Hermann Kindsvogel in das Zimmer trat. Linda winkte die beiden herbei, woraufhin Schube verstummte. Kindsvogel war zwischen vierzig und fünfundvierzig und schlank. Er trug ein offenes Sakko, ein weißes Hemd und einen Seidenschal im Hemdausschnitt. Sein Haar war kurz geschnitten und um die Ohren herum angegraut. Kindsvogel war bei der sozialdemokratischen Allgemeinen Zeitung für Kommunalpolitik, Magistrat und Verwaltung zuständig. Viel stärker interessierte er sich für das Leben der europäischen Zigeuner. Jahr für Jahr fuhr er mit seinem Volkswagen nach Ste. Marie-de-la-Mer in die Provence, wo Zigeuner aus vielen Ländern zu einem großen Sippenfest zusammenkamen. Auf der Seite »Das aktuelle Thema« druckte die Allgemeine Zeitung ebenfalls Jahr für Jahr seine Reportage über das Zigeunerfest. Noch stärker identifizierte er sich mit dem Jazzmusiker Charlie Parker, über den er (das wußte ich von Linda) seit Jahren einen Roman schrieb. Linda fragte ihn: Was macht dein Roman? Und Kindsvogel antwortete: Ist in Urlaub! Die Allgemeine Zeitung will, daß ich mich um das Schicksal des Proletariats kümmere! Alle lachten. Solche Antworten machten Kindsvogel beliebt. Schube dagegen war ein in sich gekehrter Problembrüter, der mit einem Glas Rotwein allein blieb. Wahrscheinlich würde er bald gehen, weil ihm die Atmosphäre zu unlyrisch war. Die Art, wie Schube sich als abseits stehender Künstler darstellte, machte mir Beklemmungen. Ohnehin hegte ich Mißtrauen gegen alle, die irgendetwas beteuerten oder betonten. Ich fürchtete, Kindsvogel könnte mich fragen, an welchem Roman *ich* arbeitete. Ich stellte mich an das Fenster und beobachtete einen Mann, der in einer gegenüberliegenden Wohnung ein Geschirrtuch ausfaltete und es dann sorgfältig über einen Vogelkäfig breitete. Eine mir unbekannte Fotografin sagte hinter mir: Wir Frauen sind doch viel humaner! Wir streicheln sogar liebevoll eine Glatze! Mir gefielen die leicht hin- und herwankenden Baumkronen auf der gegenüberliegenden Straßenseite. Linda winkte mich in das kleinere Nebenzimmer. Hier saßen nur ein paar Leute mit ausgestreckten Beinen auf dem Fußboden. Wir setzten uns neben sie. Beim Niedersinken der Körper streifte mich Lindas schmächtige Hüfte. Linda redete eine Weile über die Unmöglichkeit, in einer deutschen Industriestadt eine Boheme aufzubauen. Eine Frau sagte: Der erste Mann, den eine Frau nach ihrer Scheidung kennenlernt, ist immer eine Katastrophe. Plötzlich beklagte Linda, daß sich kein Mensch für die Ausbeutung der Seeleute interessierte. Wer auf See arbeitet, sagte sie, ist praktisch aus der Wirklichkeit verschwunden. Deswegen gibt es so viele Verrückte und Verlorene unter den Seeleuten. Die Reedereien wissen das und machen mit den armen Teufeln, was sie wollen. Ich verstand nichts von der Seefahrt und nickte nur. Hannes, sagte Linda, das ist der Seemann, der mich in New York verfolgt hat, Hannes sagte immer: Das Leben an Land ist die Hölle. Allerdings verschweigt er, sagte Linda, daß das Leben auf See nur eine andere Hölle ist. Mir fiel auf, daß sie den letzten Satz im Präsens gesagt hatte. Daraus schloß ich, daß meine Vermutung zutreffend war. Linda und Hannes waren nach dem Ende der New-York-Reise doch noch ein Paar geworden. Aus dem größeren Zimmer drang Jazzmusik zu uns herüber. Linda trank Bier und klagte, daß es ihr bis jetzt nicht gelungen war, ihrem Chefredakteur die Probleme der Seeleute näherzubringen. Jede Woche drucken wir lange Riemen über die Sorgen der Landwirtschaft, sagte Linda, aber keinen Ton über die Seefahrt. Ich nickte. Plötzlich roch ich den halb bitteren, halb süßlichen Geruch eines Joints. Ein junger Mann, der an der gegenüberliegenden Wand lehnte, gab eine zusammengedrückte Zigarette an seinen Nebenmann weiter. Linda hörte auf, von der Seefahrt zu sprechen, und hielt ihr Gesicht witternd in den Raum. Ich hatte noch nie gekifft. Eine undeutliche Angst hatte mich bisher davon abgehalten. Aus dem Flur hörte ich Schubes Stimme. Gerade rief er aus: Alles, was ein Lyriker braucht, sind Sicherheit und Melancholie! Ich überlegte, ob ich mich zu ihm stellen sollte. Noch immer schluckte er große Mengen Rotwein. Eine derartig starke Vorliebe für den Alkohol, dachte ich, schloß einen Joint vielleicht von selber aus. Deshalb würde es, wenn ich neben Schube stehen würde, gar nicht auffallen, wenn ich die kleine gelbe Zigarette an mir vorüberziehen ließe. Aber da war es schon zu spät. Der Joint war soeben an meinen Nebenmann zur Rechten übergegangen. Ich war mutlos und nahm zwei Züge. Der Geschmack war ekelhaft, ich schüttelte mich. Linda schaute mich an und wartete auf die Wirkung. Die Blicke der anderen waren teilweise schon glasig geworden. Eine junge Reiseredakteurin ließ den Kopf zurückfallen. Andere lehnten sich über das Sofa, stöhnten ein bißchen und fuhren sich mit den Händen durch das Haar. Linda nahm drei Züge und trank danach sofort eine halbe Flasche Bier. Auf der anderen Seite schickte Kaltenmeier einen neuen Joint in die Runde. Bei mir blieb jegliche Wirkung aus. Ich wunderte mich, hielt aber den Mund. Mit diesem Ergebnis war ich insgeheim einverstanden. Vermutlich war es die Stärke meines inneren Widerstands, die einen Rausch ausschloß. Ich stellte mich neben Schube und beobachtete, was mit den anderen geschah. Die Reiseredakteurin hatte sich zur Seite gelegt und war vielleicht schon eingeschlafen. Linda kiffte und trank. Kindsvogel saß in der Nähe des Schallplattenspielers und machte dazu dap-du-di-dap/dap-dap-du-di-dap/wap. Ich wollte nicht erklären müssen, warum die kleine gelbe Zigarette bei mir nicht wirkte. Ich öffnete die Toilettentür und sah eine junge Frau mit dem Gesicht über der Schüssel. Schube krittelte inzwischen an Baudelaire herum. Ich überlegte, ob ich nicht einfach verschwinden sollte, ohne Erklärung, ohne Getue, ohne Abschied. Ich hörte, wie sich die Frau in der Toilette übergab. Der Geruch des Erbrochenen drang auf den Flur hinaus. Ich ging in das größere Zimmer zurück und sah zufällig aus dem Fenster. Tief unten, auf der Straße, fuhr langsam eine gelb erleuchtete Straßenbahn vorüber. Wie vorgesehen kam sie an einer Haltestelle zum Stehen. Ich fing an, die Straßenbahn zu schildern, und zwar verdoppelt, als Bild im Bild, als eine Straßenbahn, die gerade in eine andere Straßenbahn hineinfuhr und dann wieder aus ihr heraus. Mit der verdoppelten Straßenbahn hatte ich sofort Erfolg. Ein paar Gäste stellten sich neben mich und warteten auf meine nächsten Sätze. Gleichzeitig sahen sie ebenfalls auf die Straße hinunter. Sie erkannten, daß es immer nur *eine* Straßenbahn gab, obgleich ich fortfuhr, von zwei oder gar mehreren Straßenbahnen zu reden. Die Straßenbahn fuhr weiter, ich redete, die gespielte Halluzination machte mich zur Hauptfigur. Ich tat ein wenig benommen, es gab keinen Zweifel, die anderen glaubten, ich sei bekifft. Meine verdoppelte Straßenbahn verwandelte sich in den lang erwarteten Beweis, daß es eine bewußtseinsverändernde Wirkung der Drogen wirklich und tatsächlich gab. Meine Schilderungen ähnelten denen, die ich vor ein paar Wochen in den Rauschgiftbüchern von Burroughs, Ginsberg und Kerouac gelesen hatte. Es war das erste Mal, daß mir die Literatur unmittelbar aus einer Patsche half. Ich war hier offenbar der einzige, der wirklich berauscht war, allerdings von der Literatur. Da kam schon die nächste Straßenbahn aus der Gegenrichtung. Diesmal hob ich in meiner Schilderung mehr auf die Farben ab. Das Gelb des Lichts ging über in das Orange des (nicht vorhandenen) Sonnenuntergangs, das Orange verfloß in das Tiefseegrün eines ebenfalls nicht vorhandenen Meeres und das Tiefseegrün wandelte sich in das Blaugelb eines vorüberflatternden Papageienschwarms. Siehst du auch Ringe und Spiralen? fragte jemand. Ich schaute vage umher und reagierte natürlich nicht mehr auf Fragen, schließlich befand ich mich in einem Rausch.

An einem Dienstagmorgen füllte ich meinen Urlaubszettel aus und übergab ihn der Sekretärin des Personalchefs. Ich nahm genau die drei Wochen, die ich für die Urlaubsvertretung beim Tagesanzeiger brauchte. In der Woche davor hatte ich Herrdegen Bescheid gesagt, und er hatte sich gefreut. Er bot mir für die drei Wochen ein Pauschalhonorar an, das ich sofort akzeptierte. Danach fühlte ich mich sorglos. Ich wollte nach Hause gehen oder mich an das Flußufer setzen, aber ich mußte zurück in die Lehrfirma. Unterwegs sah ich eine vergnügte Frau, die auf dem Fahrrad fuhr und dabei Pralinen aß. Beim Vorüberfahren hielt sie mir eine Praline hin und lachte dabei. Wenig später kaufte ich mir selbst eine Schachtel Pralinen und aß sie auf dem Weg zur Spedition leer. Der Prokurist sagte, daß er mich, wenn ich aus dem Urlaub zurück wäre, in den Kraftfahrerdienst »stecken« müsse. Ich hielt diese Ankündigung nur aus, weil ich kurz zuvor eine Urlaubsvertretung als Hilfsredakteur übernommen hatte. Das Doppelspiel zwischen Spedition und Tagesanzeiger machte mir zwar immer noch Vergnügen, aber ich mußte erkennen, daß es mich außerdem Kraft kostete. Wieder beruhigte mich die Überlegung, daß ich über den Prokuristen früher oder später schreiben würde. Ich merkte mir, wie er redete, wie er sich bewegte und wie er angezogen war. Er trug eine schwarze Hornbrille, wie sie in den fünfziger und sechziger Jahren weit verbreitet waren. Aber er trug außerdem eine Strickweste ohne Ärmel. Quer über die Brust zogen sich grüne und blaue Muster hin. Es fiel ihm nicht auf, daß die lachhafte Strickweste und die Hornbrille nicht zusammenpaßten. Ich konnte sogar sehen, daß der Prokurist um die Oberarme herum fingerbreite Gummibänder trug, die die überlangen Hemdsärmel zu den Schultern hin wegstauten. Hornbrille, Strickweste und Gummibänder! Allein die Worte machten den Mann lächerlich. Zehn Tage später vervollständigte ich meine Beobachtungen des Prokuristen. Pünktlich um 7.00 Uhr begann an diesem Tag der Betriebsausflug. In fünf Bussen wurde die gesamte Belegschaft in ein hundertundfünfzig Kilometer entferntes Weindorf transportiert. Der Prokurist trug einen sandfarbenen Sommeranzug, in dem er zwar unelegant, aber doch behende über einen Tanzboden glitt. Immer wieder forderte er Arbeiterehefrauen zum Tanz auf, was ihm allgemeine Bewunderung eintrug. Die Arbeiter nannten den Prokuristen und den Geschäftsführer »die Prominenz«. Auch der Geschäftsführer verbeugte sich demonstrativ vor den Frauen der Arbeiter und holte sie zum Tanzen ab. Hinterher sagten die Arbeiter zu ihren Frauen, du hast ja mit der Prominenz getanzt, und es war nicht klar, ob diese Bemerkung höhnisch oder bewundernd gemeint war. Zum ersten Mal sah ich Arbeiter und Angestellte in *einem* Raum. Obwohl es keine Sitzordnung gab, hatten sich die Arbeiter auf die linke und die Angestellten auf die rechte Seite des Saals verteilt. Ich war mit beiden Gruppen vertraut und wußte nicht sofort, auf welcher Seite ich mir einen Platz suchen sollte. Unter den Lehrlingen bildeten sich rasch neue Paare. Die Jungen und Mädchen waren fast ausschließlich mit ihrer gegenseitigen Umkreisung und Eingatterung beschäftigt. Herr Riedinger, der Epileptiker, hob das Glas und nickte mir freundschaftlich zu. Im Grunde fühlte ich mich mehr zu den Arbeitern hingezogen, aber die von ihnen hervorgebrachten Bilder stießen mich dann doch wieder ab. Es störte mich, daß sie auch an diesem Tag das Bier aus Flaschen tranken. Jeder Arbeiter hätte sich ein Glas bestellen können, aber sie fanden Gläser überflüssig, oder sie genierten sich, vor den anderen Arbeitern ein Glas in die Hand zu nehmen. Stattdessen stellten sie die leer getrunkenen Bierflaschen in der Mitte ihrer Tische zusammen. Wie kleine braune Glasmauern trennten die zusammengeschobenen Flaschen die Arbeiter an den Tischen. Die Arbeiter fanden es sogar lustig, über die Mündungen der Glasmauern hinweg miteinander zu sprechen. Die Flaschen waren längst, von den Arbeitern unbemerkt, zu einem Eingeständnis geworden. Jedesmal, wenn ein Arbeiter trank, sagte die Flasche in seiner Hand: Wir beide, du und ich, fürchten uns vor den Labyrinthen der Verfeinerung, wir bleiben bei den Vorteilen der Einfachheit. Dieses fortlaufend hervorgebrachte Geständnis machte Eindruck auf mich. Ich hätte mich beinahe an den Tisch mit Lagerarbeitern gesetzt (einige der Männer winkten mir schon zu), aber dann schreckte ich im letzten Augenblick doch wieder davor zurück. Der Gabelstaplerfahrer Hannemann, neben den ich mich setzen wollte, steckte sich ein Würstchen in den Mund. Er kaute und rief mir gleichzeitig ein paar Wortstummel entgegen. Das Ineinander von Worten, Würstchen und Zunge ließ mich kurz vor seinem Tisch doch wieder abbiegen und zu den Angestellten hinübergehen.

Ich entdeckte Frau Kiefer, die mit den Exportleuten an einem Tisch saß, wenngleich von diesen ein wenig abgetrennt. Frau Kiefer trug ein leichtes Sommerkleid mit weitem Rock und tiefem Ausschnitt, weiße Pumps und eine flache, kastenförmige Handtasche. Ich glaube, es war ein Haarklämmerchen über ihrer Stirn, das mich rührte und lockte. Die Angestellten steckten in dunkelblauen, dunkelbraunen und dunkelgrünen Anzügen. Sie erzählten sich Anekdoten über andere Angestellte und tranken Bier und Wein aus Gläsern. Ich setzte mich an die Seite von Frau Kiefer, die mir ein Sträußchen mit Feldblumen zeigte, das sie während eines kleinen Spaziergangs mit Herrn Schäfer gepflückt hatte. Jetzt lagen die Blumen ausgedorrt auf dem weißen Tischtuch neben der kleinen Silberschale mit den Salzbrezeln. Ich ging zur Theke und ließ mir ein Glas Leitungswasser geben, in das ich die Feldblumen hineinstellte. Sonnenlicht fiel in unsere Weingläser und auf den Ehering von Frau Kiefer. Die Drei-Mann-Kapelle spielte jetzt die neuesten Schlager. Mit leiser Stimme erzählte mir Frau Kiefer von ihrem Kind. Wir neigten unsere Köpfe nach vorne, manchmal berührten sich unsere Gesichter. Darüber erschraken wir nicht, wir zogen auch nicht unsere Gesichter zurück. Nach einer Weile stellten sich der Bassist und der Akkordeonspieler an die Theke. Der zurückgebliebene Schlagzeuger ergriff das Mikrofon und betätigte sich jetzt als Quatschmacher und Stimmenimitator. Er ahmte Adenauer, Ulbricht und ein Autorennen nach und hatte damit großen Erfolg. Frau Kiefer vergaß ihre Kinderanekdoten und lachte stark über den herumzappelnden Schlagzeuger. Am späteren Nachmittag sangen die Sackkarrenfahrer. Das kann doch einen Seemann nicht erschüttern, dröhnte jetzt durch den Saal. Ich tanzte mit Frau Kiefer. Wir fühlten uns durch den Stimmungslärm beschwingt und bestärkt. Jedesmal, wenn ich mich mit dem Kopf ein wenig über sie beugte, roch ich »Hoffmanns Stärkepuder«, das auch meine Mutter beim Bügeln in ihre Blusen einpulverte. Kurz vor dem Abendessen kippten die ersten Arbeiter um. Sie wurden von ihren routiniert zupackenden Ehefrauen in die Busse geschleppt und dort abgelegt. Die Frauen kehrten nach kurzer Zeit zurück und setzten sich wieder an die Tische. Der Gabelstaplerfahrer Hannemann fiel von seinem Stuhl herunter und schlug mit dem Kopf gegen einen Heizkörper. Ich staunte über den Prokuristen, der sofort den örtlichen Samariterbund anrief und dann selbst bei der Behandlung von Hannemanns Kopfwunde mithalf. Die beiden Samariter legten Hannemann auf eine Bahre und trugen auch ihn in einen der Busse. Die Musiker spielten jetzt nicht mehr so sorgfältig, dafür aber ununterbrochen. Nicht einmal mehr zum Biertrinken verließen sie die Bühne. Die Serviererinnen stellten laufend neue volle Bierflaschen neben ihren Notenständern ab. Auch um ihre Beine herum hatten sich inzwischen braune Glasmauern gebildet. Zwischendurch verließen Frau Kiefer und ich den Saal und versuchten einen Spaziergang über eine Wiese. Aber wir kamen nicht weit, das Gras war uns zu hoch. Mit jedem Schritt scheuchten wir eine große Zahl von Mücken und Insekten auf, vor denen sich Frau Kiefer ekelte. Nach drei Minuten kehrten wir in den Saal zurück. Der Prokurist trat hinter das Mikrofon und sagte, daß die übriggebliebenen Sauerbraten, Rippchen, Schnitzel und Torten von den Betriebsangehörigen mit nach Hause genommen werden durften. Herr Striefler aus der Buchhaltung ging zur Theke und sagte zu der Frau hinter dem Zapfhahn: Tun Sie mir bitte fünf Schnitzel in die Satteltaschen. Um 23.00 Uhr, hieß es, sei der Betriebsausflug offiziell beendet. Wer schon früher nach Hause wollte, sollte einen der beiden 22.00-Uhr-Busse nehmen. Die meisten blieben aber doch bis 23.00 Uhr, auch Frau Kiefer und ich. Wir sahen dabei zu, wie die Musiker ihre Instrumente einpackten und auch dabei Bier tranken. Nicht verzehrte Rippchen verstauten sie in den Leerräumen ihrer Instrumentenkoffer. Frau Kiefer stieg vor mir in den Bus. Ich folgte ihr und setzte mich auf einer der letzten Bänke neben sie. Hinter uns lag nur Hannemann mit seinem Kopfverband und schlief. Frau Hannemann saß eine Bank vor ihm in der gegenüberliegenden Sitzreihe. Herr Schäfer öffnete seine Aktentasche und gab Frau Hannemann im Halbdunkel ein Stück Frankfurter Kranz. Frau Hannemann schaute sich nach ihrem Mann um und nahm das Tortenstück. Wenig später fuhr der Bus an nachtschwarzen Weinbergen vorbei und durch kaum beleuchtete Ortschaften hindurch. Auch im Bus war es dunkel. Die meisten Angestellten und Arbeiter schliefen und schnarchten. Einmal hielt der Busfahrer, weil ein Arbeiter aussteigen und sich übergeben mußte. Ich überlegte, ob es nicht besser wäre, wenn ich den Bus beziehungsweise Frau Kiefer unter dem Vorwand plötzlicher Übelkeit verlassen und dann fliehen würde. Aber wie sollte ich kurz vor Mitternacht von hier aus nach Hause finden? Für Überlegungen jeder Art war es ohnehin zu spät. Ich war über Frau Kiefer gebeugt und küßte ihren magnolienartig aufgeblühten Busen. Ihre Körperlichkeit verwirrte mich, aber nicht sehr. Ich wunderte mich, daß die Annäherung an Frau Kiefer fast von selbst ablief. Die von mir viel mehr gewünschte Vertrautheit mit Linda war bis jetzt keinen Millimeter vorangekommen. Frau Kiefer öffnete mir das Hemd, dabei fiel ihre Handtasche zu Boden. Ich bückte mich nach vorne, um sie wieder aufzuheben, Frau Kiefer jedoch verstärkte den Druck ihres Armes und hielt mich davon ab. Der Bus war jetzt zu einem fahrenden Schlafsaal geworden. Auch Frau Kiefer und ich schliefen zwischendurch immer wieder ein. Wenn der Bus plötzlich ruckelte oder bremsen mußte, schreckten wir auf und setzten unsere Berührungen fort. Die Beliebigkeit der Intimität irritierte mich. Ich hatte mir immer vorgestellt, es gebe zwischen Paaren ein besser geregeltes Eintauchen in die Liebesheftigkeit. Einmal, als das Neonlicht einer Straßenlampe in den Bus fiel, fand ich das weiße Gesicht von Frau Kiefer zu altmodisch. Es war mir bis jetzt nicht geglückt, meinen Körper zwischen den geöffneten Beinen von Frau Kiefer in Stellung zu bringen, obgleich Frau Kiefer ihren Rock schon weit genug nach oben geschoben hatte. Im dauernden Schaukeln und Schwanken des Busses fiel ich immer wieder zur Seite oder auf meinen Platz zurück. Frau Kiefer roch frisch nach Fischen und Pilzen. Der Duft war so stark, daß ich argwöhnte, er hätte uns schon verraten. Ich schaute kurz über die Sitzbänke und vergewisserte mich, daß es ringsum keine heimlichen Beobachter gab. Obwohl Frau Kiefer mich immer wieder anfaßte, war ich nicht sicher, ob sie nicht wieder schlief. Gleichzeitig gefiel mir die Vorstellung, daß sie aus einem Traum nach mir griff. Ich sah auf ihre geschlossenen Augen und dachte: Du mußt sie in Ruhe lassen. Schon drei Sekunden später korrigierte ich mich: Jetzt kannst du es probieren. Wenn es nicht klappt, wird sie es nicht einmal merken. Ich war nicht sicher, ob Frau Kiefer den Beischlaf wollte oder ob sie ihn mir nur erlaubte. Es störte mich, daß ich die Handtasche auf dem Boden hin- und herrutschen hörte. Immer noch hoffte ich, im Schaukeln des Busses werde sich meine Unbeholfenheit als Schüchternheit darstellen und die Schüchternheit werde mich liebenswert erscheinen lassen. An einer belebten Kreuzung blieb der Bus fünfzehn Sekunden lang stehen. Das Licht einer Bogenlampe erinnerte mich an die Zeit, als ich als Kind anfing, sonntags nachmittags ins Kino zu gehen. Sehr gut gefielen mir damals die beiden Notausgänge links und rechts der Sitzreihen. Es waren zwei schmale, von dunklen Samtvorhängen verdeckte Türen, über denen je ein Kasten mit der Leuchtschrift NOTAUSGANG angebracht war. Ich stellte mir Deckeneinstürze, Feuersbrünste und Massenpaniken vor, und ich achtete darauf, daß ich stets in der Nähe eines Notausgangs zu sitzen kam. Jetzt starrte ich auf schwärzliche Kartoffeläcker und eingeknickte Maisstauden und wünschte mir wieder einen Kasten mit der Aufschrift NOTAUSGANG herbei. Unter dem Eindruck meiner Unentschiedenheit hatte Frau Kiefer begonnen, ihre Beine wieder zu schließen. Ein wenig später, als der Bus über die Kreuzung rumpelte, rettete mich ein leichter Landregen. Zuerst störte mich das Wasser, das rings am Bus herunterrann, aber dann ging mir auf, daß niederrieselnde Feuchtigkeit ein Geräusch der Sexualität war. Es gelang mir, mich an dem Haltegriff hochzuziehen, der in Höhe von Frau Kiefers Schultern ihren Sitz abrundete. Frau Kiefers Körper verstand sofort. Die Beine öffneten sich wieder, und Frau Kiefer rutschte mit dem Hinterteil ein Stück nach vorne. Sie lag jetzt mit dem Rücken auf der Sitzfläche, die mächtigen Beine geöffnet und seitlich abgeknickt. Sie sah jetzt aus wie ein nach hinten gestürztes weißes Lamm. Das Bild gefiel mir, aber ich wollte es trotzdem nicht anschauen. Als der Bus eine dunkle Landstraße entlangfuhr, drang ich in Frau Kiefer ein und war augenblicklich hingerissen von der Entdeckung, daß der Innenkörper von Frau Kiefer noch erheblich weicher und samtener war als ihr Außenkörper. Die Überraschung wirkte so stark, daß mir ein paar Tränen hochschossen. Endlich war es mir egal, ob Frau Kiefer schlief oder nicht. Ich stieß in diese uferlose Weichheit und blickte von oben auf den schräg hinter uns liegenden Hannemann. Er schlief fest, das Blut an seinem Kopfverband war eingetrocknet.

4

Das Verlagshaus des Tagesanzeigers war ein schmaler, zweigeschossiger Bau, der den Krieg unbeschadet überlebt hatte. Alle Redaktionen waren im ersten Stock untergebracht. Alle Böden waren noch mit Holzbohlen ausgelegt. Herrdegen führte mich herum und stellte mich vor. Je zwei Redakteure saßen im Sport, in der Wirtschaft und im Feuilleton. Die Sozial- und die Leserbriefredaktion war mit je einem Redakteur besetzt. Der Mann in der Sozialredaktion hatte im Krieg die linke Hand verloren. Anstelle der Hand trug er eine handähnliche Prothese aus Leder, die er in seinem Ärmel zu verbergen suchte. Von Herrdegen wußte ich, daß der Sozialredakteur seit Jahren an einem Familienepos arbeitete, von dem er bis jetzt vier Bände fertiggestellt hatte, die er jedoch niemandem zeigte. Nur in der Lokalredaktion und in der Politik arbeiteten je vier Redakteure. In der Politik sagte Herrdegen, hier ist unser neuer Chefredakteur. Niemand lachte, auch ich nicht. Ich arbeitete nicht an Wettengels Schreibtisch, sondern an einem kleineren, einfachen Holztisch in der Nähe des Fensters. Meine erste Arbeit galt dem Polizeibericht. Er wurde jeden Tag gegen 11.00 Uhr von einem Beamten des Polizeipräsidiums im Sekretariat abgegeben. Der Bericht faßte auf zwei Seiten die kriminellen Ereignisse zusammen, die am Tag zuvor in der Stadt geschehen waren. Meine Aufgabe war, die beiden Seiten in lesbare Einzelmeldungen aufzulösen beziehungsweise umzuschreiben. Nach zwanzig Minuten war ich in Wettengels Zimmer allein. Rechts von mir ein großes Fenster ohne Gardinen (mit einem schönen Blick auf die Straße), links von mir eine Wand mit Tür, vor mir eine Schreibmaschine und der in einem grausigen Deutsch verfaßte Polizeibericht. Niemand klingelte mich herbei, niemand schickte mich herum, niemand trat mir zu nahe. Am Nachmittag redete Herrdegen darüber, in welchem Verhältnis Text und Fotos auf einer Zeitungsseite zueinander stehen sollten und daß auf jeder Seite eine abwechslungsreiche Stoffmischung zustande kommen muß. Ich redigierte die Beiträge anderer Mitarbeiter, versah sie mit Überschriften und Unterzeilen und legte jeden satzfertigen Artikel Herrdegen zur Kontrolle vor. Auf einem Regal hinter mir stand ein Vorkriegsradio. Es war halb kaputt, aber ich schaltete es gern ein, weil ich es schön fand, dem eigentümlichen Schlingern und Schleifen der Töne zu folgen. Ein Walzer traf in Form eines seufzenden Rauschens und Zischens in meinem Zimmer ein. Die Musik hörte sich an, als würde das Orchester zwischendurch immer wieder von einem Schneesturm überrascht. Mir fiel ein, daß ich als Kind jahrelang glaubte, hinter dem Lautsprecher des Radios sitze ein winzig kleines Orchester. Ich konnte mir damals Menschen denken, die nicht größer waren als Mensch-ärgere-dich-nicht-Figuren, und es irritierte mich nicht, daß ich derartig kleine Menschen in der Wirklichkeit niemals antraf. Sie saßen ja auch immerzu in Radios und spielten alte Walzer! Plötzlich erinnerte mich die Musik an Frau Kiefer. Ich hatte sie seit dem Betriebsausflug nicht mehr gesehen. Ich wagte nicht, sie am Feierabend vom Betrieb abzuholen, weil ich fürchtete, mit ihrem Mann zusammenzutreffen. Er würde mir schon auf den ersten Blick anmerken, was geschehen war. Außerdem wollte ich die Geschichte vor den anderen Angestellten verbergen. Ein paar Tage lang beschäftigte mich die Frage, ob Frau Kiefer das Abenteuer mit dem Lehrling gestanden hatte oder nicht. Ein Geständnis ihrem Mann gegenüber würde bedeuten (so legte ich mir die Ereignisse zurecht), daß ich im Bewußtsein von Frau Kiefer kaum mehr als den Raum einer Anekdote einnahm. Ein akzeptiertes Geständnis war eine Art Annullierung. Ein ausbleibendes Geständnis konnte jedoch bedeuten, daß Frau Kiefer das Geheimnis vor ihrem Mann aufrechterhielt, und eine solche Verlängerung lief darauf hinaus, daß Frau Kiefer mit mir vielleicht ein Nebenliebesleben wünschte. Erst am vierten Tag rief ich sie in der Spedition an. Ich wollte sie direkt fragen: Haben Sie Ihrem Mann Bescheid gesagt oder nicht? Aber als ich ihre Stimme hörte, verließ mich meine Direktheit. Ich brachte nicht viel heraus, sie ebenfalls nicht. Ich mußte einsehen, daß die mich quälenden Fragen so schnell nicht zu klären waren. Nach dem Telefonat war ich froh, daß ich nicht gefragt hatte. Die Unklarheit war offenbar Teil eines mir neu zugefallenen Schmerzes. Ein anderer Teil des Schmerzes war: Ich wollte über Frau Kiefer überhaupt nicht so denken, wie ich die ganze Zeit über sie dachte. Auch dann, wenn ich tippte, fiel mir das Bild des auf dem Rücken liegenden weißen Lamms ein. Auch dann, wenn ich meinen Tisch verließ, um Herrdegen ein Manuskript zu bringen, sah ich das weiße Lamm auf meinem Tisch liegen. Ich trat sogar an die Tischkante heran und drang in die unaussprechliche Weichheit seines Innenkörpers ein. Es steigerte mein Begehren, daß ich nie wußte, ob das weiße Lamm gerade schlief oder nicht. Ich ging, das für Herrdegen bestimmte Manuskript in der Hand, wieder zu meinem Stuhl zurück, um meinem Verlangen wenigstens die Erleichterung eines Sitzplatzes anzubieten. Meine Sehnsucht nahm den Sitzplatz an, verhöhnte jedoch zugleich meine Einfalt. Du bietest deiner Lust nichts an als einen elenden Holzstuhl aus den Vorkriegsbeständen das Tagesanzeigers! Ich schreckte auf und stellte mich an das Fenster. Ich sah auf die Straße herunter, aber dort ereignete sich gerade nichts. Dann fiel mein Blick auf das Fenstersims. Dort wuchs schönes, wahrscheinlich weiches, lindgrünes Moos. Der Anblick entzückte mich. Das Moos zog sich am Außenrand des Simses entlang und wuchs dort völlig unbehelligt. Vermutlich war es sein selbstgenügsames, fast unentdecktes Dasein, das mich elektrisierte. Ja, auf einem Fenstersims müßte man leben dürfen, dachte ich. Ich öffnete das Fenster und fuhr mit der Innenhand über die Moosspitzen hinweg. Obgleich das feuchte Polster erneut eine Anspielung auf das weibliche Geschlecht war, spürte ich doch, daß meine Erregung zurückging. Ich schloß das Fenster und sagte vor mich hin: Das Moos ist groß. Ich mußte nicht lachen. Endlich schaltete ich das Radio ab. Ich verließ das Zimmer und trank in der Toilette ein bißchen Wasser. Draußen, auf dem Flur, lief Fräulein Weber entlang, die Sekretärin von Herrdegen. Sie hatte sich ein Paar neue Schuhe gekauft, die sie jetzt ausprobierte. Mein zweiter Versuch, Herrdegen ein Manuskript zu bringen, gelang problemlos. Vergessen Sie nicht, sagte Herrdegen, daß Sie um siebzehn Uhr ins Kino müssen. Das Royal hat das Programm gewechselt. Lassen Sie sich von Fräulein Weber den Dauerausweis geben. Ist gut, machte ich.

Wie der Film hieß, den ich mir am Ende dieses Arbeitstages anschaute, weiß ich nicht mehr. Es war ein sogenannter Musikfilm mit Peter Alexander in der Hauptrolle. Er spielte einen armen, jedoch lebenslustigen Kellner, der einem ebenso armen Zimmermädchen den Hof macht. Beide arbeiten in einem großen Hotel am Wolfgangsee. Sie sehen sich jeden Tag, und Peter Alexander läßt keine Gelegenheit aus (im Fahrstuhl, in der Küche, in der Garderobe, in der Wäschekammer), dem Zimmermädchen die allerneuesten Schlager vorzusingen. Die schüchterne Kollegin findet Gefallen an dem munteren Kellner, aber in Wahrheit hält sie ihn für einen Hallodri, den sie nicht zu nahe an sich heranläßt. Dann stellt sich heraus, daß der Kellner gar kein Kellner ist, sondern ein hochbegabter und fleißiger Student, dem eine große Karriere offensteht und der außerdem gerade eine beträchtliche Erbschaft gemacht hat. Jetzt erkennt das Zimmermädchen, daß der vermeintliche Kellner nur gesungen hat, um ihre Liebe zu erringen; in Wahrheit ist er ein ehrenwerter und aufstrebender junger Mann, dem sie ihre Gunst nicht länger verweigern kann. Der Film zog sich über eine Stunde lang hin, immerzu hin- und herschwankend zwischen peinlichen und verlogenen Details. Seine wichtigsten Bauteile (platte Dramaturgie, dümmliche Dialoge, alberne Handlung, absehbarer Plot) waren von bedrückender Einfalt. Besonders peinigend waren die so zahlreichen wie unmotivierten Gesangseinlagen von Peter Alexander. Nichts davon erschien in der Filmkritik, die ich am folgenden Morgen schrieb.

Sie fing mit diesen Sätzen an: »Einen Strauß bunter Melodien präsentiert Peter Alexander in seinem neuesten Musikfilm ... seinem zauberhaften Charme erliegt mit der Zeit auch das schüchterne Zimmermädchen Elfie ... so verwandelt sich der anfänglich unseriös wirkende Kellner immer mehr in einen ernsthaften Heiratskandidaten, dem am Ende alle Sympathien zufliegen ...« Denn ich hatte zuvor jahrelang die Filmkritiken in der Zeitung gelesen, für die ich nun selbst schrieb. Sie waren fünfzehn Druckzeilen lang und waren kaum mehr als stark überzuckerte Inhaltsangaben. Daß mein Empfinden im Kino und meine

Filmkritik zwei völlig verschiedene Dinge waren, störte mich nicht, jedenfalls nicht während des Schreibens.

Gegen 12.00 Uhr, ich zog gerade das Blatt mit der Filmkritik aus der Schreibmaschine, betrat ein Mann mit Aktentasche und Vollbart die Redaktion. Er griff sich einen Stuhl und setzte sich auf die andere Seite meines Arbeitstischs. Er war zwischen fünfzig und sechzig Jahre alt und hatte zarte Hände, die meine Mutter Künstlerhände genannt hätte. Sein Anzug stammte aus der Kriegs-, vielleicht sogar aus der Vorkriegszeit. Er öffnete die Aktentasche und holte beschriebene Seiten heraus, die er Schriftsatz nannte. Das Wort Schriftsatz hätte mich mißtrauisch machen müssen, aber ich saß auf der anderen Seite des Schreibtischs und war eingeschüchtert, weil jemand von mir etwas wollte. Außerdem gefiel mir der Mann. Ich hatte damals die Neigung, in solchen alten, ungepflegten, mit leiser Stimme sprechenden Männern kluge Eremiten zu sehen. Er reichte mir den Schriftsatz herüber. Es war die Kopie eines sechzehn Seiten langen Briefes an Bundeskanzler Adenauer. Es sind Vorschläge über die Versorgung der Ostgebiete, sagte der Mann. Über der Anrede las ich gesperrt das Wort EINGABE. Der Bundeskanzler weiß, daß ich in dieser Angelegenheit tätig bin, sagte der Mann. Zum ersten Mal zuckte ich zusammen und überlegte, wie ich den Mann loswerden könnte. Er sagte, daß ich seine Eingabe sofort drucken müßte, weil der Osten hungere. Leider machte ich in dieser Situation einen Fehler. Ich nahm die Eingabe an mich und legte sie rechts auf einen Stapel mit Manuskripten. Diese Geste versetzte den Mann in eine schwungvolle Aufregung. Er öffnete erneut die Aktentasche und holte eine Vielzahl von Zeitungsartikeln, Briefentwürfen und Manuskripten hervor, die mit zahllosen handschriftlichen Zusätzen angereichert und kaum noch lesbar waren. Er blickte auf das Bündel, steckte dies und das zurück in die Aktentasche und holte dafür andere Schriftsätze heraus, die er auf den Tisch legte. Ich faßte Mut und gab ihm außer der Eingabe, die ich schon angenommen zu haben meinte, sämtliche Papiere zurück. Gut, sagte der Mann, Sie müssen sich jetzt erst mal in die Ostgebiete einarbeiten. Ja, sagte ich, erhob mich und verabschiedete mich stehend von dem Mann, was dieser überraschend hinnahm; er drehte sich um und verließ die Redaktion.

Am Nachmittag fiel mir auf, daß Herrdegen mit Fräulein Weber zwar zusammenarbeitete, jedoch kaum mit ihr redete. Wenn er etwas von ihr wollte, schrieb er seinen Wunsch auf einen kleinen Zettel, den er neben ihrer Schreibmaschine ablegte. Obgleich Fräulein Weber sehr jung war, tat sie so, als sei sie schon immer mit den Sonderbarkeiten dieses Zusammenlebens vertraut. Sie erhob sich und suchte für Herrdegen einen alten Artikel heraus. Vermutlich waren die Zettel entweder eine zusammenhängende Bestrafung (Herrdegen demütigte Fräulein Weber wegen irgend etwas) oder eine Maßnahme des Selbstschutzes (Herrdegen will nicht reden). Auch über meine Filmkritik verlor er kein Wort. Er setzte oben rechts sein Chefhäkchen auf die Manuskriptseite und schrieb erneut einen Zettel für Fräulein Weber. Ich trug meine Kritik in die Setzerei und rief von dort aus (ich wollte nicht, daß Fräulein Weber mithörte) Gudrun an. Sie war seit Tagen verstimmt, weil ich auch in meinem Urlaub arbeitete, anstatt mit ihr an die Riviera zu fahren. Um sie aufzuheitern, lud ich sie zu einem Je-ka-mi-Abend ein, den ich in der nächsten Woche für den Tagesanzeiger zu besuchen hatte. Das wird lustig, sagte ich, aber Gudrun lehnte ab. Daraufhin schlug ich vor, am Wochenende ins Freibad zu gehen. Ich verschwieg, daß es mir peinlich war, einen ganzen Nachmittag lang zwischen Hunderten von Menschen auf einer Wiese zu liegen, und sagte, daß ich sie gegen 14.00 Uhr von zu Hause abholen werde. Sie nahm an. In der Redaktion las ich die Eingabe an Adenauer. Nach zwei Seiten brach ich die Lektüre ab. Ich hatte noch nie einen derart verworrenen Text gelesen. Ich legte die Eingabe zur Seite und ärgerte mich, daß ich den Text nicht schon im Beisein seines Verfassers angelesen hatte. Fräulein Weber ging wieder in ihren neuen Schuhen umher. Es waren weiße, spitze Pumps, die ihr eine Spur zu eng waren. Trotz ihres langsamen Vornamens Gerlinde neigte Fräulein Weber zu überhasteten, aufgedrehten Bewegungen. Oft wirkte sie auf mich wie ein an Land geworfener Fisch. Ich wollte zu ihr sagen: Gehen Sie ein bißchen barfuß umher, aber ich traute mich nicht. Erst als Herrdegen ihr einen neuen Zettel übergab, verließ sie den Raum. Am Frühabend mußte ich zu einer Autogrammstunde mit Rex Gildo. Sie fand in einem großen Schallplatten- und Phonohaus im Stadtzentrum statt. Als ich eintraf, war das Geschäft schon überfüllt. Junge Mädchen und ältere Hausfrauen, Rentner und Schüler drängten in den Raum. Rex Gildo war noch nicht da, ein Sprecher der Plattenfirma besänftigte die Leute. Ich stellte mich beim Inhaber des Schallplattenladens vor. Oh, Herr Weigand, ich freue mich, Sie kennenzulernen! rief er fröhlich aus. Er winkte eine Angestellte herbei, die Käsehäppchen und Sekt brachte. Rex Gildo kannte ich aus dem Musikfilm mit Peter Alexander, in dem er eine Nebenrolle als Hotelpage gespielt hatte. Der Mann von der Plattenfirma kündigte an, Rex Gildo werde auf jede gekaufte Rex-Gildo-Schallplatte sein Autogramm setzen. Eine Dame schenkte den Pressevertretern je eine Rex-Gildo-Schallplatte. Die Dame machte darauf aufmerksam, daß die uns überreichten Platten bereits ein Autogramm trugen. Immer noch strömten junge Leute in das Geschäft und kauften Platten und warteten. Ich hoffte, Linda hier zu treffen, aber sie erschien nicht. Frau Finkbeiner von der Allgemeinen Zeitung stand neben mir und schwieg. Ich wußte nicht, warum ich mich schämte. Im stillen hoffte ich, daß mich niemand anredete. Für den Fall, daß mich doch jemand in ein Gespräch verwickelte, legte ich mir ein paar Antworten zurecht. Dann vergaß ich die vorbereiteten Sätze und kam mir wieder stumm vor. Kurz darauf war ich dankbar, daß niemand etwas von mir wollte. Draußen fuhr ein cremefarbenes Cabriolet mit weinroten Ledersitzen vor, fast wie im Musikfilm. Rex Gildo stieg aus und hob beide Arme und winkte in Richtung Schallplattengeschäft. Der Geschäftsführer stürzte nach vorne und riß beide Glastüren auf. Junge Mädchen folgten ihm und umringten Rex Gildo schon auf dem Bürgersteig. Rex Gildo war nur wenig älter als ich. Er hatte ein goldbraunes Brathähnchengesicht und schwarzgefärbtes Haar. Es gab Hausfrauen, die ihm gleich drei Schallplatten entgegenstreckten. Rex Gildos Augen blitzten, er lächelte nach allen Seiten. Er trug enge Hosen, ein weißes Blusenhemd und eine Art Bolero. Ich sah Rex Gildo dabei zu, wie er rasend schnell Autogramme gab. Plötzlich war ich überzeugt, daß jedes Zeichen und jede Bewegung in diesem Raum eine Fälschung war. Sogar das Autogramm von Rex Gildo war unecht. Es war eine allgemeine, nichtssagende Wellenlinie, die ebensogut Erich Huber oder Fritz Müller heißen konnte. Aber die Mädchen waren beglückt über die Wellenlinie und beugten sich begeistert über sie. Ich sehnte mich nach einer Instanz, die mich nicht betrog. Plötzlich wußte ich, warum ich mich schämte. Ich fühlte mich erniedrigt. Unklar war nur, ob mich das Geschehen direkt erniedrigte oder ob ich mich selbst erniedrigte, weil ich an diesem Geschehen teilnahm. Aber es war mir nicht möglich, die Herkunft der Scham genau zu ermitteln. Die allgemeine Erniedrigung der Wirklichkeit und mein inneres Erniedrigungsgefühl waren untrennbar ineinander verschlungen. In diesen Augenblicken rettete mich ein Blick nach draußen. Genau dort, wo Rex Gildos Cabriolet (in dem jetzt nur ein Chauffeur saß und wartete) geparkt war, entdeckte ich ein Verkehrsschild. Auf diesem Schild standen zwei Wörter: ACHTUNG ANFAHRTSZONE. Anstatt Anfahrtszone las ich jedoch Armutszone. Das Wort half mir augenblicklich. ACHTUNG ARMUTSZONE. Natürlich, ich lebte hier in der Armutszone! Das Wort setzte mich in die Lage, wieder an den Ereignissen teilzunehmen und Beobachtungen über sie zu machen. Der Pressefotograf Hassert schob und drückte ein paar Mädchen nach vorne, so daß zwei oder drei von ihnen fast auf Rex Gildo drauffielen. Genau in dieser von ihm selbst hervorgerufenen Situation hob er seine Kamera und machte ein paar Aufnahmen. Rex Gildo war nett und half den ausgerutschten Mädchen zurück ins Gleichgewicht. Der Pressechef der Schallplattenfirma kam aus dem Zentrum der Armutszone auf mich zu und fragte: Haben Sie nicht Lust, ein Interview zu machen? Nachher, wenn der Trubel nachläßt, ist Rex Gildo gern dazu bereit. Ohne die wunderbaren Segnungen, die das Wort Armutszone in meinem Inneren ausgestreut hatte, wäre ich diesem Anschlag hilflos ausgeliefert gewesen. So aber fühlte ich mich nur gewarnt. Aber gern, sagte ich. Ist gut, sagte der Pressechef, ich werde das Gespräch arrangieren. In Wahrheit schaute ich bereits nach dem Ausgang des Phonohauses. Aus Langeweile betrachtete ich in einem kleinen Spiegel meine Zähne. Sie wurden schon gelb, so fremd fühlte ich mich hier. Ich mußte verschwinden, solange der Trubel mich noch deckte. Unbemerkt schob ich mich hinter dem Rücken der Fans nach vorne. Nur von Frau Finkbeiner hatte ich mich diskret verabschiedet. Ich gehe auch gleich, hatte sie geflüstert.

Da war ich schon draußen. Auf dem kürzesten Weg eilte ich zurück in die Redaktion. Der Tagesanzeiger wollte das Erscheinen von Rex Gildo schon am nächsten Tag melden. Herrdegen war schon verschwunden, auch Fräulein Weber war nicht mehr da. Zurückgeblieben war nur Herr Frühwirth aus der Wirtschaftsredaktion. Er war an diesem Abend Umbruchredakteur. Er nickte mir auf dem Flur zu und fragte: Wann bringen Sie mir den Rex Gildo? In einer Dreiviertelstunde, antwortete ich. Gut, sagte Frühwirth und verschwand in der Mettage. Ich setzte mich hin und begann zu schreiben: Einen ungewöhnlichen Andrang erlebte das Phonohaus Schober am gestrigen Spätnachmittag. In einem offenen Cabriolet war kein Geringerer als Rex Gildo vorgefahren und erfüllte die Autogrammwünsche von zahllosen Fans. Ich war schon ungefähr mit der Hälfte des Artikels fertig, als mir auffiel, daß Herrdegen mir an diesem Frühabend zum ersten Mal hundertprozentig vertraute. Indem er schon nach Hause gegangen war, verzichtete er auf das Gegenlesen meines Textes. Ich erschrak und las meinen Beitrag, soweit er bis dahin fertig war, dreimal nacheinander durch. Ich konnte keinen Fehler entdecken und schrieb weiter. Knapp vor den Schlußsätzen erschien der Fotograf Hassert und legte mir die fast noch feuchten Rex-Gildo-Fotos vor. Ich wählte ein Bild, auf dem der lächelnde Rex Gildo von erregten Mädchen fast zugedeckt war, ein absolutes Honigbild, wie Herrdegen jetzt sagen würde, ein Foto zum Abschlecken. Auf einem der Fotos war ich selber im Hintergrund zu sehen.

Ich nutzte meine Stellung aus und kaufte auch dieses Foto, freilich nur, um es wenig später zu vernichten. Ich wartete ab, bis Hassert gegangen war, dann zerriß ich das Foto und ließ die Schnipsel in den Papierkorb fallen. Ich war mit der Bildunterschrift noch nicht fertig, als die Putzfrau mein Zimmer betrat und mit dem Aufräumen begann, was mir an diesem Abend sogar recht war. So konnte ich mit eigenen Augen sehen, wie mein Papierkorb geleert wurde und das Dokument meines Zusammentreffens mit Rex Gildo für immer verschwand. Zehn Minuten später brachte ich dem Umbruchredakteur meinen Artikel, das Foto und die Bildunterschrift.

Kurz nach acht Uhr verließ ich die Redaktion. Ich hatte Verlangen, mit Linda zu sprechen, und ich beschloß, in den »Grünen Baum« zu gehen. In den letzten Tagen war es richtig Sommer geworden. Aus offenen Kellerfenstern drang der Modergeruch der Häuser auf die Straßen. Das Sirrsirr der Schwalben klang begütigend. Nach der Hälfte des Weges fiel ein kurzer warmer Regen herab. Frauen und Kinder flüchteten unter kleine Vordächer. Ich stellte mich zu ihnen und beobachtete flache rote Käfer, die es nur im Sommer gab. Sie krabbelten in großer Zahl an den Häusern entlang und verschwanden dann in kleinen Dreckhäufchen oder unter welken Blättern. Als Kind glaubte ich eine Weile, es würde immer nur in Hinterhöfe regnen. Ein junges Mädchen trug seine Schuhe in den Händen und ging barfuß über die halbwarmen Gehwegplatten. Immer wieder trat eine Frau an ein Fenster und schaute nach, wie lange es noch regnen würde. Zum ersten Mal überlegte ich, ob ich mir eine kleine Wohnung suchen sollte. Meine Nebeneinkünfte erlaubten mir solche Pläne. Allerdings fürchtete ich, daß meine Eltern verletzt sein würden, wenn ich sie verließ. Ich sagte ihnen nicht, daß meine Nebeneinkünfte mein sogenanntes Lehrlingsgehalt längst unwichtig gemacht hatten. Am Haus gegenüber war die Dachrinne defekt, das Wasser stürzte wie aus einer Kanne geschüttet auf die Straße herab. Zwei Kinder zogen sich aus und ließen das Wasser auf ihre aufjuchzenden Körper aufplatschen. Mich drückte jetzt doch die Kritik, die ich über den Musikfilm geschrieben hatte. Der Film war auch in den anderen Blättern lobend besprochen worden. Dieser Tage hatte ich zufällig die Warteschlangen vor der Kasse des Royal gesehen. Junge Mädchen, Rentner, Hausfrauen, Schüler, Heimkehrer, alle wollten Peter Alexanders Faxen sehen. Der Andrang des Publikums war mir unverständlich. Es gab offenbar so etwas wie ein Kartell der Einfalt; dümmliche Leute lasen dümmliche Kritiken und sahen sich dann dümmliche Filme an. Seit einigen Tagen hatte ich in diesem Kartell eine leitende Stelle inne. Aber vielleicht waren viele Teilnehmer des Kartells nicht wirklich, sondern nur gespielt einfältig, weil sie nur so am riesigen Ertrag der Volksschlichtheit teilhaben konnten. Oder war überhaupt niemand dumm? Gab es ein allgemeines Vergnügen an der humoristischen Versimpelung des Lebens, das mir aufgrund meiner inneren Strenge nicht zugänglich war? Ich überlegte, bis der Regen nachließ, und stieß doch nicht zu einer brauchbaren (plausiblen) Wahrheit vor. Zum Trost blickte ich den kleinen roten Käfern nach, die vor der Nässe in eine Hofeinfahrt flüchteten.

Der »Grüne Baum« war überfüllt. Ich durchquerte die verdickte Luft und suchte nach Linda. Ich nickte Kaltenmeier und Schube zu, und als ich mich an Kindsvogel vorbeidrückte, flüsterte er mir zu: Linda ist nicht da! Sie ist wieder bei ihrem Seemann! Kindsvogel schaute mir auf gleißende Art in die Augen. Vermutlich wollte er sehen, ob sich bei mir Spuren der Eifersucht zeigten. Wann kommt sie zurück? fragte ich. Am Montag ist sie wieder da, sagte Kindsvogel. Ich wollte fragen, ob Kindsvogel noch mehr über Linda wußte, aber ich beherrschte mich. Zu Schube und Kaltenmeier wollte ich mich nicht stellen. Zum ersten Mal empfand ich Unbehagen an den Leuten, die über ihre nichtgeschriebenen Romane und Gedichte redeten. Vielleicht war es nicht wichtig, ob die immer wieder angekündigten Romane und Gedichtbände jemals erscheinen würden. Schlimm wäre nur gewesen, einen Roman niemals angekündigt zu haben. Ich vermißte Linda. Ohne sie hatte ich in diesem Lokal kaum etwas verloren. Die Tür öffnete sich, ein Fremder trat ein. Es war ein kleiner fülliger Mann mit einem zusammengerollten Bündel unterm linken Arm. Das Bündel war ein Teppich, den der Mann hier verkaufen wollte. Er ging von Tisch zu Tisch und rollte das Bündel ein wenig auf. Es war ein schwerer Teppich von undurchschaubarer Herkunft und Qualität. Einige Gäste faßten ihn kurz an und machten dann ein Zeichen, daß der Fremde weitergehen sollte. Mit jedem, der seinen Teppich angefaßt hatte, wollte der Fremde ein Gespräch beginnen. Ich überlegte, ob vielleicht ich den Teppich kaufen sollte. Wenn ich mir demnächst eine Wohnung mieten würde, hätte ich schon mal einen Teppich. Aber ich hatte nicht die geringste Ahnung, wie man eine Wohnung einrichtet und wie eine Wohnung *für mich* aussehen könnte. Ich hatte in diesen Augenblicken vergessen, daß ich mit Gudrun ein gemeinsames Sparbuch hatte und daß wir beide schon öfter darüber gesprochen hatten, wie *unsere* Wohnung aussehen sollte. Der Lyriker Schube winkte den Teppichverkäufer gleich weiter. Der halb geduckte, halb gepeinigte Blick des Mannes schmerzte mich. Schube redete laut von der Notwendigkeit einer neuen Geistesaristokratie. Zwei jüngere Frauen hörten ihm zu und nickten zustimmend. Auf einem Zettel notierte ich das Wort Geistesaristokratie; morgen früh, in der Redaktion, würde ich es im Lexikon nachschlagen. Noch immer sah ich zur Tür, sobald sie sich öffnete, Linda trat nicht ein. Unruhig hörte ich zwei Männern zu, die sich einig darin waren, daß sich die deutsche Nachkriegsliteratur von amerikanischen Einflüssen befreien müsse. Eine Stunde lang stand ich an der Theke und trank. Dann spürte ich einen beißenden Reiz in der Kehle. Ich ging in die Toilette und betrachtete mich im Spiegel. Ich wollte erkennen, ob sich in meinem Gesicht eine Sehnsucht oder eher eine Eifersucht abzeichnete. Der Schmerz arbeitete sich nach vorne in den Mundinnenraum. Mein Gesicht verriet nichts, aber ein starkes Ziehen im Unterkiefer deutete darauf hin, daß ich eifersüchtig war. Als ich in den Gastraum zurückkehrte, fühlte ich mich beobachtet. Ich war in diesem Lokal jemand geworden, der auf eine Frau wartete. Die Eifersucht war ein seltsam umherkriechender Schmerz. Mehr und mehr war ich mit dessen Ausbreitung und Beobachtung beschäftigt. Dann sah ich, daß auch meine Schmerzbeobachtung von anderen beobachtet wurde. Nach einer Weile zahlte ich und ging nach Hause.

Es entsteht eine ganz tolle Verwirrung, wenn zwei Personen plötzlich aufgeht, daß sie doch kein Paar sind. In dieser Verwirrung verbrachte ich mit Gudrun den Samstag nachmittag im Schwimmbad. Gudrun saß neben mir auf einer Wolldecke und cremte sich ein. Sie trug einen blauen Bikini mit Rüschen am Oberteil. Die jungen Mädchen schminkten sich in diesem Sommer mit hellrosa, fast weißen Lippenstiften. Es störte mich, daß so viele Menschen um mich herum gleichzeitig redeten, lachten und schrien. Ich war weit und breit der einzige, der ein Buch mitgebracht hatte. Ganze Familien trockneten sich mit *einem* Handtuch ab, das sie dann in die Sonne legten. Gudrun erzählte, wie sie mit siebzehn zum ersten Mal in Italien gewesen war und wie ein Italiener versucht hatte, sie zu küssen. Ich habe mich gewehrt, sagte Gudrun, dann gab er mir sein Bild und seine Adresse und bat um Briefe. Und auf der Heimfahrt im Bus, sagte Gudrun, habe ich angefangen, sein Bild zu küssen, ist das nicht sonderbar?! Ich verurteilte im stillen die Leute ringsum, weil sie keine Bücher lasen, sondern nur Illustrierte. Immer wieder erwischte ich ganze Familien, wie sie ihre Zeit und ihre Energien sinnlos vergeudeten. Erst blätterte ein Vater eine Illustrierte durch, dann die Mutter, danach die Tochter und am Schluß der kleine Sohn. Nach einer Weile das gleiche von vorne. Es war schwierig, ruhig auf der Wolldecke liegenzubleiben und die Leute nicht zurechtzuweisen. Gudrun nahm keinen Anstoß daran, daß ich der Literatur hingegeben war; daß ich aber auch im Schwimmbad las, verstimmte sie doch. Sie ging ins Wasser, ich blieb mit dem Buch auf der Decke. Zum ersten Mal fiel mir auf, daß ich die Literatur auch als Trennungshebel benutzte. Zwischendurch betrachtete ich den flockigen Pappelsamen, den der Wind über die Wiesen trieb, oder die Wespen, die von Papierkorb zu Papierkorb flogen. Je weiter der Nachmittag voranschritt, desto stiller wurde es zwischen Gudrun und mir. Als sie gegen 18.00 Uhr die Brotkrümel und den Sand von der Wolldecke herunterschüttelte, wußte ich, daß es mit uns beiden zu Ende war. Ich begleitete sie wie üblich nach Hause. Am Dienstag der folgenden Woche, in der Mittagspause, gingen wir gemeinsam zur Bank und lösten unser Sparbuch auf. Danach sahen wir uns nicht wieder.

5

Schon während der zweiten Woche beim Tagesanzeiger erschien es mir unmöglich, daß ich *nach* der Urlaubsvertretung wieder ausschließlich Lehrling sein sollte. Herrdegen wurde ein Mann, den ich seit Jahren zu kennen meinte. Er schrieb täglich zwei bis drei Artikel und ein bis zwei Glossen. Er schrieb praktisch den ganzen Tag, zuweilen an zwei Maschinen abwechselnd. Ich vermutete, daß auch er zu Hause an einem Roman arbeitete. Er redete nicht über das Schreiben, auch nicht über die Literatur. Vermutlich lebte er zurückgezogen in einem halbleeren Zimmer, in dem er niemanden duldete. Aber ich hatte mich getäuscht. Am Mittwoch erschien gegen 11.00 Uhr eine Frau mit Kind in der Redaktion. Sie war noch kleiner und noch magerer als er. Herrdegen sagte: Darf ich Ihnen meine Frau vorstellen? Alles an ihr war schmal, kurz und dünn. Frau Herrdegen übergab ihrem Mann ein paar Unterlagen und setzte sich dann, mit dem Kind auf dem Schoß, auf den Besucherstuhl. Ihre Beine reichten nicht bis auf den Boden herunter. Obwohl Frau Herrdegen eine erwachsene Frau war, machten die baumelnden Beine ein Kind aus ihr. Das Kind streckte beide Arme nach einer seitlich stehenden Schreibmaschine aus. Frau Herrdegen erhob sich und rückte ihren Stuhl und das Kind näher an die Schreibmaschine heran. Das Kind patschte mit beiden Händen in die Tastatur und sprudelte ein paar halbverspuckte Worte hervor. Das Ehepaar war von diesem Bild entzückt. Sie hoben sich das Kind gegenseitig in die Arme. Aber das Kind quengelte und wollte wieder vor der Schreibmaschine sitzen. In diesen Augenblicken öffnete Fräulein Weber die Tür und sagte: Herr Weigand, Sie haben Besuch.

Eine halbe Minute später war ich in meinem Zimmer und sah, daß der Mann mit Bart und Aktentasche auf mich wartete. Er war genauso bleich und wächsern wie vorige Woche. Augenblicksweise ging mir auf, warum mir die Nachkriegszeit damals gefiel: Die Gesichter der Menschen waren voller eingestandenem Entsetzen. Es gab weit und breit niemanden, der von ihnen verlangte, daß sie fröhlich, erfolgreich, lustig, optimistisch oder sonstwie sein sollten. Aus seiner linken Anzugtasche schaute ein Löffel heraus. Vermutlich ernährte sich der Mann in öffentlichen Armenküchen, wollte aber auf seinen eigenen Löffel nicht verzichten. Er beklagte sich, das seine Eingabe noch nicht erschienen war. Weil ich keine bessere Idee hatte, redete ich von unvorhersehbaren Verhinderungen, woraufhin der Mann in gute Laune verfiel.

Sehen Sie, sagte er, jetzt sind Sie auch ein Opfer der Verhinderungen! Jetzt sehen Sie, wie das ist!

Ich nickte verlegen.

Ich kämpfe seit ungefähr zwanzig Jahren gegen die Verhinderungen, ohne jeden Erfolg, sagte er.

Tja, machte ich.

Ich habe in früheren Jahren sogar Eingaben gegen die Verhinderungen geschrieben, ich kann sie Ihnen vorbeibringen!

Auf keinen Fall, sagte ich, bitte nicht.

Klar, sagte der Mann, natürlich, die Verhinderungen lassen sich davon nicht, ähh, abhalten.

Es ist so, fing ich an, da öffnete sich die Tür, Herrdegen trat ein mit seinem Kind auf dem Arm. Augenblicklich drehte er sich um, rief seine Frau herbei, übergab ihr das Kind, ging dann auf den Mann zu und herrschte ihn an: Was habe ich Ihnen bei Ihrem vorigen Besuch gesagt?! Was?! Haben Sie das vergessen?! Wie sind Sie überhaupt hereingekommen?

Der Mann erhob sich erschrocken.

Soll ich Ihnen Beine machen? sagte Herrdegen aus nächster Nähe.

Der Mann drückte seine Aktentasche an sich und berührte (ein wunderbarer Augenblick) mit den Fingerspitzen kurz den Löffel in seiner Anzugtasche, ehe er mit kleinen Schritten zur Tür ging.

Wenn ich Sie noch einmal hier sehe, werde ich die Polizei anrufen, sagte Herrdegen; haben Sie mich diesmal verstanden?

Herrdegen trat einen Schritt zurück und sah dem Fremden dabei zu, wie er die Tür öffnete. Herrdegen folgte ihm auf den Flur und sah ihm dabei zu, wie er die Treppe hinunterging und verschwand. Dann wandte sich Herrdegen zurück in mein Zimmer und sagte: Das ist ein Psychopath. Mit solchen Leuten dürfen Sie sich nicht einlassen. Sie kommen immer wieder und stehlen Ihnen nur die Zeit. Hat er Sie unter Druck gesetzt?

Ich schüttelte den Kopf.

Wenn er nochmal kommt, schmeißen Sie ihn sofort raus, sagte Herrdegen, können Sie das?

Ich nickte.

Oder Sie rufen mich, sagte Herrdegen, dann verschwindet er von alleine. Es ist fürchterlich! Die halbe Stadt ist voll von diesen Leuten.

Ich schaute gegen die Wand.

Aber jetzt ist erst mal eine Weile Ruhe, sagte Herrdegen. Sie gehen um zwölf zur Eröffnung der Italienischen Woche?

Ja, sagte ich.

Gut, machte Herrdegen und verließ das Zimmer.

Ich legte mir einen Stenoblock und einen Kugelschreiber zurecht. In Kürze würde ich zum Kaufhaus Hertie aufbrechen und am Nachmittag über die Italienische Woche einen Zweispalter schreiben. Der Sportredakteur Fellhauer erschien in meinem Zimmer und suchte einen Artikel über die Jugend-Schwimmeisterschaften, über die in der vorigen Woche im Lokalteil berichtet worden war. Fellhauer gab sinnlose, lautmalerische Worte von sich, die ich gerne hörte. Oft ging er durch den Flur und sagte halblaut Tschingi Tschongi oder flopso bobso vor sich hin. Oder er setzte sich an den Schreibtisch und sagte: Tschu tschu tschulaka buki. Dabei führte Fellhauer ein verdrossenes Leben. Er war in einer anderen Stadt, eine halbe Tagesreise von hier, unglücklich verheiratet. Jeden Freitagabend fuhr er zu Frau und Kind und kehrte am Montag morgen in die Redaktion zurück. Er brauchte bis Mittwoch, um sich von den Streitereien mit seiner Ehefrau zu erholen. Sein regelmäßiges Verschwinden am Wochenende führte dazu, daß er an Samstagen und Sonntagen keine Termine wahrnehmen konnte. Die Kollegen schienen Verständnis mit ihm zu haben, aber das Verständnis war unecht. Eines von beiden wird er aufgeben müssen, entweder seine Stelle oder seine Ehe, hieß es hinter nicht mal vorgehaltener Hand. Er hatte den Artikel über die Schwimmeisterschaften gefunden. Flatschi Batschi, sagte er und verließ lachend mein Zimmer.

Das Kaufhaus Hertie war etwa zwanzig Minuten vom Tagesanzeiger entfernt. Unterwegs sah ich einen Mann, der einem ganzen Haus drohte. Er stand auf der Straße und schüttelte und schleuderte seine linke Faust zum zweiten Stockwerk hinauf. Aber das Haus antwortete auf die Drohung nicht. Alle Fenster blieben geschlossen. Im Kaufhaus bewunderte ich die Ruhe und Schönheit der Menschen, die auf Rolltreppen stehend aneinander vorbeifuhren. In der Erfrischungsabteilung betrachtete ich Rentner, die aus Langeweile schon um 11.00 Uhr zu Mittag gegessen hatten und jetzt wie halbgelähmt herumsaßen. Viele der alten Ehepaare hatten einen gemeinsamen Geldbeutel. Die Frau verwahrte die Börse, aber zahlen sollte der Mann. Ich sah eine Frau, die den Geldbeutel unter dem Tisch an ihren Mann übergeben wollte. Aber der Mann war ungeschickt, die Börse fiel auf den Boden. Aus Verärgerung starrte die Frau auf ihren leer gegessenen Teller. Der ungeschickte Mann krabbelte unter den Tisch und zeigte dabei ein schmerzverzerrtes Gesicht, das ich gerne fotografiert hätte. Kurz darauf hörte ich eine mir vertraute Stimme. Ich machte einen Fehler und drehte mich nach der Stimme um. Sie gehörte meinem ehemaligen Erdkundelehrer. Er erkannte mich, ich erkannte ihn. Ich rechnete damit, daß er mich auf der Stelle über die südamerikanischen Länder Honduras, Costa Rica, Guatemala und Venezuela ausfragen würde, die ich im Unterricht bei ihm oft miteinander verwechselt hatte. Es ergriff mich eine peinigende Heftigkeit, die schon nach wenigen Sekunden dazu führte, daß ich den Lehrer im stillen duzte. Du hast das Recht des Interesses an meinem Leben verwirkt, dachte ich erregt. Beinahe hätte ich die Faust gehoben, wie der Mann, der einem ganzen Haus gedroht hatte. Wir brachten es auf drei oder vier verwirrte Blicke, dann drehte der Lehrer ab.

Die dritte Etage war in eine Art italienischer Markt verwandelt worden. Die Verkaufstische waren mit gestreiften Markisen überspannt, die Waren mit weißen Tüchern noch abgedeckt. Überall hingen falsche Zitronen, falsche

Orangen und bunte Hütchen mit weißen und blauen Bändern. Hunderte von Kunden stauten sich rings an den Wänden und warteten auf die Freigabe der Verkaufstische. Eine Substitutin führte mich in die Nähe eines Mikrofons und stellte mich dem Geschäftsführer vor. Die Kollegen von den anderen Zeitungen waren schon eine Weile da. An der Decke schwebten Luftballons, aus Lautsprechern drangen italienische Schlager beziehungsweise deutsche Schlager mit italienischen Themen beziehungsweise deutsche Schlager mit deutschen Vorstellungen von italienischen Themen. Unter den Gästen erkannte ich Dr. Alessio vom Italienischen Fremdenverkehrsamt. Obwohl er mich bei seiner Pressekonferenz immer wieder angeschaut hatte, schien er sich nicht mehr an mich zu erinnern. Der Geschäftsführer trat an das Mikrofon, die Musik verstummte. Meine Damen und Herren! Unser Haus hat keine Kosten und Mühen gescheut, Ihnen das wundervolle Italien näherzubringen. Ich lehnte mich gegen eine Säule und machte Notizen. Höhepunkt der Italienischen Woche ist ein Preisausschreiben, an dem Sie hoffentlich recht zahlreich teilnehmen! Erster Preis ist eine Woche an der Adria für zwei Personen. Ein zweiter Höhepunkt ist am Freitag der Auftritt einer italienischen Folkloregruppe, die neapolitanische Auswandererlieder zu Gehör bringt! Aber die Hauptattraktion ist natürlich unser italienisches Sonderangebot, rief der Geschäftsführer. Es gibt zauberhafte Strohhüte aus Venedig, es gibt elegante Schuhe aus Ligurien, es gibt Gorgonzola aus Bergamo, Schinken aus den Abruzzen, Teigwaren aus Venetien und Süßigkeiten aus Turin! Ich kann nicht alles aufzählen, schauen Sie sich bitte selbst um! Ich will Sie nicht mehr allzu lange auf die Folter spannen und eröffne hiermit die Italienische Woche!

Kurz darauf zogen junge Verkäuferinnen die weißen Tücher von den Verkaufstischen herunter, und die bis dahin zurückgestauten Kunden strömten in die Gänge. Wieder, genau wie bei der Autogrammstunde mit Rex Gildo, erschien ein Fräulein und bot auf einem Tablett Sekt und Orangensaft an. Und wieder, genau wie bei Rex Gildo, wurde ich hochmütig. Die Menschen, die ich noch kurz zuvor diskret, fast vornehm auf Rolltreppen durch die Etagen hatte schweben sehen, verwandelten sich jetzt in ein dumm-dusseliges Purzelvolk, das Schürzen, Schinken und Schuhe an sich riß und dabei eine Art Beglückung erlebte. Eine derartige Verwandlung hatte ich nicht für möglich gehalten. Warum war ich von diesen Menschen so sehr getrennt? Die Massenbeglückung schlug sich bei mir als leise Beklemmung nieder. Ich versuchte, ein oder zwei richtige Gedanken zu denken: Nach dem Ende des Naziterrors sind die Deutschen in der Geschichtsstille eingetroffen. Jetzt dürfen sie entdecken, daß es einfache Seligkeiten gibt (Strohhüte, Süßigkeiten, Strandschuhe), die zum Leben völlig ausreichen. Und weil du den Naziterror nur aus Büchern kennst, verstehst du das Glück dieser Leute nicht. Aber beruhigende Gedanken dieser Art beruhigten mich nicht lange. Denn schon war die nächste Frage, die nächste Empörung da: Warum wurden die Menschen in diesem endlich erreichten Glück so läppisch, einfältig und töricht? Dabei kam mir mein Hochmut schon vertraut vor. Es war, als hätte das Gefühl der Herablassung schon seine eigene Dauer gefunden. Ich starrte noch immer auf das Gewoge und Geschiebe an den Verkaufstischen. Die Italienische Woche war ein durchschlagender Erfolg. Im stillen wartete ich auf den Ausbruch eines allgemeinen Gelächters. Denn nur Lachen und Spott war als Antwort auf dieses billige Kaufhausglück möglich.

Das Fräulein mit dem Silbertablett trat noch einmal an mich heran, ich nahm mir ein zweites Glas Sekt. Mit hilfloser Strenge stand ich beiseite und beobachtete eine Frau, die sich erregt eine kleine Terrakottafigur gegen die Brust drückte und sie dann kaufte. Es gab kein Gelächter. Ich mußte hinnehmen: Die kleine Freude wurde als wirkliches und wahrhaftes Glück empfunden. Der Geschäftsführer kam herbei und überreichte jedem Pressevertreter einen Präsentkorb mit einer Salami, einem Stück Parmaschinken, einer kleinen Flasche Grappa und zwei Servietten aus leichtem Batist. An der Seite von Frau Clemens, einer Wirtschaftsredakteurin der Volkszeitung, fuhr ich mit der Rolltreppe nach unten. Es erleichterte mich, daß Frau Clemens über ihren Präsentkorb lachte. Es machte ihr nichts aus, mit dem Präsentkorb auf dem Arm durch die Straßen zu gehen. Schon nach wenigen Minuten durchschaute sie meine Verlegenheit und zog aus ihrer Handtasche eine zusammengefaltete Plastiktüte hervor. Ich faltete sie auseinander und versenkte darin den Präsentkorb. Etwas zu heftig bedankte ich mich bei Frau Clemens und verabschiedete mich von ihr.

Auf dem Rückweg zur Redaktion fand ich ein Straßencafé und ließ mich an einem Tisch in der hintersten Reihe nieder. Den Präsentkorb stellte ich neben mir auf dem Boden ab. Die Beklemmung über meine Erlebnisse hallte in mir nach. Ich wünschte nicht, von den anderen getrennt zu sein, und lebte doch schon in dieser Trennung. Ich verstand nicht einmal, warum es diese Trennung gab. In dieser Zeit hatte ich noch nicht den Mut, das Leben unverständlich zu nennen. Jetzt hatte ich die Hoffnung, das Problem allein durch Nachdenken zu verlieren. Vor allem wollte ich wissen, ob der Hochmut schon immer ein Teil meiner Substanz war, der nur auf seine Entbindung (durch den Journalismus) gewartet hatte. Ich betrachtete die kaffeetrinkenden und ausruhenden Menschen und verwand oder verwand nicht, daß ich nicht die Denkkraft hatte, die zur Beantwortung meiner Frage nötig war. Es war entsetzlich. Ich saß da und konnte mich nicht von der Idee meines Hochmuts befreien. Möglicherweise war ich nur ein kleiner Stadtaffe, der unauffällig seine Ressentiments ausleben wollte. Schon fürchtete ich das langsame Anwachsen der Arroganz in mir. In diesen Augenblicken entdeckte ich am Rand der Caféterrasse das Gesicht von Frau Kiefer. Sie saß dort mit ihrem Mann und dem Kind. Ein Schreck betäubte den Hochmut. Frau Kiefer hob sich eine Tasse an den Mund, das Kind stieß mit einem Löffel in das Eis. Herr Kiefer saß unbeweglich neben seiner Frau und schaute umher. Ich saß genügend weit von ihnen entfernt und fühlte, daß mich der Anblick von Frau Kiefer entlastete. Immer wieder hatte ich mich gefragt, wie es mit Frau Kiefer und mir weitergehen sollte, wenn ich in etwa eineinhalb Wochen in die Lehrfirma zurückkehrte. Jetzt beobachtete ich Frau Kiefers Kind, das trotz seiner Unbeholfenheit großes Vergnügen daran hatte, seine Mutter mit kleinen Eisportionen zu füttern. Auch die Mutter zeigte Zufriedenheit darüber, daß sie vom Kind gefüttert wurde. Es zeichnete sich ab, das Kind war bereit, seine ganze Portion Eis an die Mutter abzugeben. Von dieser eindrucksvollen Opferung ging plötzlich die Antwort auf meine Frage aus, wie es mit Frau Kiefer und mir weitergehen sollte: Es ging überhaupt nichts weiter, weil nie etwas angefangen hatte. Ich betrachtete die selbstverständlichen Bewegungen von Frau Kiefer inmitten ihrer kleinen Familie. Die Menschen brauchten von Zeit zu Zeit ein paar Abweichungen, damit sie um so unangefochtener in ihren Verhältnissen weiterleben konnten. Mein Erlebnis mit Frau

Kiefer tauchte ab in eine angenehme Halbwichtigkeit. Herr Kiefer hob seinen Arm und legte seine Hand auf den Rücken seiner Frau. Ich sah, daß an seiner liebkosenden Hand zwei Finger fehlten, der Ringfinger und der kleine Finger, wahrscheinlich ein Arbeitsunfall. Ich hätte jetzt am Tisch der Kiefers Platz nehmen können. Zu Herrn Kiefer hätte ich sagen können, daß seine Frau zu den vielen Menschen gehörte, ohne deren Wohlwollen ich im Leben keinen Schritt weiterkäme. Weil ich schon längst in der Halbwichtigkeit aller Aufregungen angekommen wäre, hätte ich den Zynismus in meiner Bemerkung überhört. Herr Kiefer hätte mir zugestimmt. Er hätte nicht danach gefragt, wie ich das meine, weil er auf die halbfertigen Auffassungen von Lehrlingen prinzipiell nicht einging. Leider verlor sich die Stille um mich herum. Links von mir redeten zwei ältere Frauen darüber, daß die älteren Klobrillen aus Holz viel angenehmer waren als die neumodischen Klobrillen aus Plastik. Rechts von mir behauptete eine jüngere Frau, daß die Augenfarbe der Menschen mit zunehmendem Alter immer schwächer werde, bis hin zur vollständigen Farblosigkeit. Ich nahm meinen Präsentkorb, zahlte und ging. Bis zur Redaktion waren es von hier aus nur ein paar Schritte. Ich achtete darauf, daß mich die Kiefers beim Weggehen nicht bemerkten. Meinen Präsentkorb schenkte ich Fräulein Weber. Ich hob ihn aus der Plastiktüte heraus und stellte ihn auf ihrem Schreibtisch ab. Fräulein Weber war entzückt über mein Geschenk und küßte mich auf die Wange. Ich blieb eine Weile im Türrahmen stehen und betrachtete ihre erstaunliche Freude.

Am Samstag abend gegen halb neun betrat ich den hellerleuchteten Bürgerbräu-Keller. Das Tiefgeschoß war Teil eines riesigen, mehrstöckigen Vergnügungslokals. Im Erdgeschoß befand sich ein Restaurant mit »gutbürgerlicher

Küche« (so hieß es auf einer Tafel neben dem Eingang), im ersten Stock eine Nachtbar für »gehobene Ansprüche« (so stand es auf der gleichen Tafel), und im Keller gab es eine große Tanzfläche und eine Bühne für »volkstümliche Unterhaltung« (so lautete die unterste Zeile der Tafel). Der Keller war an diesem Abend der Schauplatz des vierzehntägig wiederkehrenden Je-ka-mi-Wettbewerbs. Je-ka-mi war eine Abkürzung für Jeder kann mitmachen. Tatsächlich durfte hier jeder, der von sich meinte, irgendetwas vortragen, singen oder zeigen zu können, die Bühne besteigen und anfangen. Die Abende waren in der Stadt sehr beliebt. Kein Tisch war mehr frei. Kellner trugen zusätzliche Stühle und Tische in den Saal. Auf der Bühne spielte eine Drei-Mann-Combo, einige jüngere Paare tanzten. Ringsum saßen feingemachte Kleinbürger und hielten Musikinstrumente und Noten in schweißnassen Händen. Sie hatten Angehörige und Freunde mitgebracht und ließen sich fortwährend beruhigen. Obwohl sie noch nicht aufgetreten waren, wurden sie von ihren Familien schon jetzt als die kommenden Stars behandelt. Ehefrauen und Töchter küßten sie im Vorübergehen und tupften ihnen die Stirn. Ich drängelte mich nach vorn zum Pressetisch, vier Kollegen waren schon da. Der Geschäftsführer begrüßte mich und übergab mir eine Liste mit den Namen der heute abend auftretenden Künstler. Eine Dame schenkte Sekt aus und fragte nach besonderen Wünschen. Der Geschäftsführer stieg auf die Bühne, die Combo verstummte, die Tänzer nahmen ihre Plätze ein, der Geschäftsführer begrüßte die Künstler und ihr Publikum. Fünf Sänger, drei Artisten, drei Zauberer und ein Humorist werden Sie heute abend unterhalten, sagte der Geschäftsführer. Er stellte die Jury vor, der er selbst angehörte. Außerdem ein Herr vom örtlichen Verkehrsverein, eine Dame von der

Städtischen Musikschule, ein Herr vom Gaststättenverband und ein Dr. Soundso von einer Frankfurter Künstleragentur, den der Geschäftsführer als besonders fachkundig und einflußreich schilderte. Applaus brandete auf. Zuletzt präsentierte der Geschäftsführer den Conférencier, einen Herrn Frédéric, der in einem weinroten Smoking steckte und den Abend mit einer Darbietung als Tierstimmenimitator eröffnete. Seine Nummer war noch nicht zu Ende, da ließ der Türsteher am anderen Ende des Saals eine mittelgroße, scheue Frau eintreten. Es war Linda. Ihre Verspätung machte sie verlegen. Allein durchquerte sie den Mittelteil des Saals und errötete dabei. Am Pressetisch öffnete sie leicht den Mund und zeigte ihre kleinen Mäusezähne. Sie grüßte in die Runde, setzte sich neben mich, legte ihren Schreibblock vor sich hin. Sie beruhigte sich rasch und wurde blaß wie immer. Für die Tierstimmen-Nummer des Conférenciers gab es starken Beifall. Herr Frédéric kündigte die erste Darbietung des Abends an. Frau Anke Bünnagel, verheiratet, von Beruf Verkäuferin, siebenundzwanzig Jahre alt, betrat die Bühne. Ihr cremefarbenes Kostüm (mit Goldknöpfen vornedran) war ihr ein wenig zu groß. Ihr Ehemann trug ihr eine Gitarre hinterher. Frau Bünnagel wollte drei Schlager von Caterina Valente singen, aber schon beim zweiten Schlager erhob sich Gelächter im Saal. Sie sang das Lied ›Ganz Paris träumt von der Liebe, denn dort ist sie ja zu Haus‹. Das letzte Wort zog Frau Bünnagel derart in die Länge, daß es kläglich und jammervoll klang. Ich staunte mehr über den Hohn des Publikums als über das Mißgeschick von Frau Bünnagel. Linda war offenbar schon öfter bei Je-ka-miAbenden dabeigewesen und reagierte gelassen. Zum Vortrag des dritten Schlagers, ›Spiel noch einmal für mich, Habanero‹, kam es nicht mehr. Die Unruhe nahm tumultartige Formen an. Der Conférencier betrat von links die Bühne, dankte Frau Bünnagel und drängte sie ab. Im Augenblick, als er die Frau am Arm faßte und vom Mikrofon wegschob, erinnerte ich mich an Mutter. Als ich etwa zwölf Jahre alt war, wollte meine Mutter genau so sein wie Liselotte Pulver. Sie sah sich alle Filme von Liselotte Pulver an, manchmal nahm sie mich mit. In jedem Film war Liselotte Pulver lustig, zuversichtlich, schlagfertig, draufgängerisch, humorvoll und gewinnend. In allen Punkten war Mutter das krasse Gegenteil. Aber wenn sie aus dem Kino kam, wähnte sie eine halbe Stunde lang, sie hätte sich ihrem Vorbild wieder ein gutes Stück genähert. Erst zu Hause merkte sie, daß sie wieder nicht Liselotte Pulver geworden war. Genauso mundtot und verdutzt akzeptierte jetzt Frau Bünnagel, daß sie als Frau Bünnagel und nicht als Caterina Valente weiterlebte. Der Conférencier erzählte ein paar grobe Witze und machte das Publikum wieder aufnahmewillig. Der nächste Kandidat hieß Wolfgang Streibich (ich notierte den Namen) und hatte ebenfalls eine Gitarre dabei. Er war ein dreiunddreißigjähriger Busfahrer, war verheiratet und hatte zwei Kinder. Seine Frau saß im Publikum und drückte die Kinder halb ängstlich und halb stolz an sich. Streibich gab Freddy Quinn, und er gab ihn sehr gut. Er traf den Ton und er schaute genauso muttertagsselig umher wie der echte Freddy Quinn. Das Publikum machte keinen Mucks, und die Jury gab fünfmal die Höchstnote. Frau Streibich weinte vor Glück und umarmte ihren Mann. Dafür stürzte der nächste Künstler vollständig ab. Der Conférencier nannte seine Daten: Er hieß Albert Nüssen, zweiundvierzig Jahre alt, von Beruf Dekorateur, unverheiratet. Er trug eine großkarierte Jacke (wie Peter Frankenfeld) und eine Sonnenbrille. In der linken Hand hielt er ein Telefon (ein Hörer mit Apparat, aber ohne Kabel), in der rechten einen Liegestuhl. Es war nicht klar, was er zeigte, vermutlich war er der Humorist. Jedoch sang er zwischendurch auch, allerdings immer nur die ersten beiden Zeilen eines Schlagers, dann brach er ab. Vermutlich sollten diese Abbrüche schon lustig sein, aber die Leute lachten nicht, sie murrten und liefen teilweise weg, was Herrn Frédéric bereits beunruhigte. Dann holte er aus der Hosentasche eine Fahrradklingel und klingelte viermal. Mit offenkundig echter Entgeisterung nahm er hin, daß die Leute nicht lachten. Sie feixten über sein Ungeschick. Erst jetzt wurde deutlich, daß das Fahrradklingeln auf ein Telefonklingeln verweisen sollte. Der Dekorateur legte sich den Hörer ans Ohr, allerdings verkehrt herum. Auch dieser Scherz kam nicht an, beziehungsweise er war zu schwach. Der Humorist tat so, als würde er eben erst merken, daß er ein Fahrradklingeln für ein Telefonklingeln gehalten hatte. Diese Enthüllung sprach er selber aus und versuchte dabei zu stottern, aber auch das Stottern war nur schlecht nachgeahmt. Jetzt drangen Rufe wie Aufhören! Genug! aus dem Publikum nach vorne, aber der Mann ließ sich nicht irritieren. Seine Hauptnummer, das Auseinanderklappen des Liegestuhls, konnte er nicht mehr zeigen. Der Conférencier lief herbei und hielt den Dekorateur an den Armen fest. Der Humorist verstand nicht oder wollte nicht hinnehmen, daß ihn der Conférencier hinderte, und leistete Widerstand. Herr Frédéric ergriff das Mikrofon und erzählte zotige Geschichten, die er mit Geräuschen untermalte. Im Handumdrehen hatte er das Publikum auf seine Seite gebracht. Im Hintergrund wurstelte der Dekorateur mit seinem Liegestuhl herum und wurde nicht mehr beachtet. Nein, das stimmte nicht. Das Publikum beklatschte sein Scheitern. Die Grausamkeit der Szene war jetzt auf ihrem Höhepunkt.

Ich hatte eine derart starke Peinlichkeit (und das rätselhafte Einverständnis mit ihr) nie zuvor gesehen. Ich blickte immerzu umher, weil ich zuwenig verstand. Es war ein Schmerz im Saal, der alle traf und gleichzeitig von allen geleugnet wurde. Am schrecklichsten war, daß der Dekorateur weiterspielte. Noch immer zeigte er Reste seiner Träume von einem anderen Leben als Humorist und Sänger. Erst die Ankündigung des nächsten Künstlers ließ ihn stutzen. Ein frischer Sänger stand schon am rechten Rand der Bühne. Im Weggehen faßte der Conférencier den Humoristen an der Schulter und zog ihn von der Bühne herunter. Er ließ sich jetzt widerstandslos abschleppen. Neben mir hörte ich Lindas heftiges Atmen. Sie rauchte und steckte die abgebrannten Streichhölzer in die Zündholzschachtel zurück. Dann und wann nahm sie eines der abgebrannten Hölzer aus der Schachtel heraus und spielte mit ihm. Ihre Fingerspitzen wurden dabei ein wenig schwärzlich, was ihr zu gefallen schien. Ich betrachtete die Fältelung in Lindas Bluse und dachte: Du kannst nicht schon wieder die Fältelung in Lindas Bluse betrachten.

Bleiben Sie bis zum Schluß? fragte mich Linda leise.

Ich bin noch nie vorher abgehauen, sagte ich.

Warum?

Ich trau mich nicht, sagte ich.

Nach einer halben Stunde weiß man, was noch kommt, sagte Linda.

Mich fesselt die Abgründigkeit der Darbietungen, sagte ich.

Das wird Ihnen noch vergehen.

Wieso?

Die Dummheit wird noch viel ordinärer, sagte Linda, das ist alles.

Darauf fiel mir keine Antwort ein. Der Sänger, der gerade auf der Bühne war, hieß Max Büssing und war von Beruf Stukkateur. Er war siebenundvierzig Jahre alt und sang in Hans-Albers-Manier den Schlager ›Auf der Reeperbahn nachts um halb drei‹. Seine Nummer war nicht besonders gut und nicht besonders schlecht. Linda und ich lehnten uns zurück und hörten wieder zu. Von unseren Kollegen waren schon zwei verschwunden. Das Publikum verlief sich teilweise in das Restaurant oder in die Bar. Der Hans-Albers-Darsteller schien davon nicht beeindruckt. Er sang mit ächzend nachgeahmter Wehmut auf die Leute herunter. Von der Jury erhielt er die Gesamtnote 2,5.

Werden Sie vorher gehen? fragte ich Linda.

Ja.

Wann?

Die Abende hier laufen gewöhnlich so ab, sagte Linda, daß in höchstens einer Viertelstunde ein teures Abendessen serviert wird. Wenn man mitißt, erwartet die Geschäftsleitung, daß man den ganzen Wettbewerb absitzt.

Ahh so, machte ich.

Linda ging auf die Toilette und kehrte mit leicht geschminkten Lippen zurück. Ich überlegte, ob die Schminke eine versteckte Aufforderung an mich sein sollte, mit ihr das Lokal zu verlassen. Ich wußte nicht, was ich mir einbilden durfte. Der Conférencier kündigte den Auftritt eines Herrn Dieter Oelke an. Er trug einen Frack, einen Zylinder und weiße Handschuhe, außerdem Lackschuhe und einen schwarzen Stock mit Knauf. Herr Oelke erinnerte ein wenig an Maurice Chevalier und ein wenig an Johannes Heesters. Er war zweiundvierzig Jahre alt und von Beruf Schreiner. Er prüfte das Mikrofon und machte ein paar Stepschritte. Ein paar Sekunden lang dachte ich daran, Linda vorzuschwindeln, ich hätte einen Roman angefangen. Wahrscheinlich, so hoffte ich, wäre sie dann neugierig und würde noch eine Weile bleiben. Und ich hätte Gelegenheit, weitere Zeichen für eine gewünschte oder bevorstehende Annäherung zwischen uns zu sammeln. Ich wollte Linda küssen, heute abend noch. Aber ich wollte mich auf keinen Fall offenbaren und dann zurückgewiesen werden. Allerdings wollte ich auch nicht mit dummen Liebeseinbildungen in diesem Lokal zurückbleiben. Mein Bedürfnis war gespalten. Die Sehnsucht wollte reden, das Verlangen drängte ins Bett. Ich überlegte, ob ich Linda zuflüstern sollte, daß ich eine besondere formale Idee für einen Roman hätte. Danach hätte ich sofort weiterreden müssen, um Linda zu hindern, sich genauer nach meiner formalen Idee zu erkundigen. Von allen Ideen war ich im Augenblick weit entfernt.

Die drei Themen, über die ich erzählen konnte (ein bißchen Kindheit, ein paar Jahre Schule und dazwischen meine rätselhaften Eltern), kamen mir uninteressant vor. Ich hätte mich in ein Lügengespinst verstricken müssen, in dem ich mich bald selbst nicht mehr ausgekannt hätte. Während ich überlegte, verstummte ich und merkte es nicht. Plötzlich trat ein Kellner mit einem Stapel großer weißer Teller an unseren Tisch. Als er vor Linda ein Gedeck abstellen wollte, hob sie die Hand und sagte: Vielen Dank, ich muß leider noch zu einem anderen Termin. Obwohl sie mein Begehren durchkreuzte, bewunderte ich Lindas Direktheit. Herr Oelke hielt sich mit beiden Händen am Mikrofon und sang ›O mein Papa, was bist du für ein schöner Mann‹. Ein anderer Ober erschien und teilte Bestecke und weiße Servietten aus. Der Oberkellner servierte jedem Pressevertreter einen aufgeschnittenen Hummer, etwas gedünstetes Gemüse und ein paar Kroketten. Als Linda aufstand und ging, hatte ich das Gefühl einer Niederlage. In diesen Augenblicken begann Herr

Oelke zu wanken. Während des Singens, Tanzens und Drehens hatte er ein wenig das Gleichgewicht verloren. Aus dem Publikum ertönten einzelne Schreie. Eine Frau erhob sich und rief zur Bühne hoch: Du blöder Hund, komm runter. Herr Oelke hörte nicht und setzte seine Darbietung fort. Die Frau kam nach vorne zur Bühne und rief: Los, komm runter, du Arschgeige. Einige Journalisten und zwei der Jurymitglieder lachten. Herr Oelke driftete nach links ab, fing sich dann aber wieder. Der Conférencier eilte mit einem Stuhl auf die Bühne. Herr Oelke drängte zurück zum Mikrofon, der Conférencier hielt ihn davon ab. Die Frau stürmte auf die Bühne und hielt Herrn Oelke fest. Der Conférencier witzelte herum, ließ Herrn Oelke aber nicht aus den Augen. Die Frau drückte Herrn Oelkes Körper auf den Stuhl. Er saß jetzt schwer atmend am Rand der Bühne. Aus dem Publikum meldete sich ein Arzt. Die Leute klatschten und erhoben sich von den Plätzen. Der Arzt öffnete Herrn Oelke das Hemd und fächelte ihm mit einer Speisekarte frische verbrauchte Luft ins Gesicht. Herr Oelke hob seine Hand und winkte ins Publikum. Die Frau sagte zu Herrn Oelke: Jetzt hat dein Arsch Feierabend. Der Conférencier kündigte den nächsten Künstler an, einen Zauberer. Die Frau und der Arzt schlangen sich die Arme von Herrn Oelke um den Hals und schleppten ihn das Treppchen am Bühnenrand hinunter.

Zwei Stunden später rechnete die Jury ihre Punkte zusammen und ermittelte den Gewinner des Abends. Er hieß Karl Rauchfuß, war siebenunddreißig Jahre alt, von Beruf Fensterputzer. Er hatte den *Lachenden Vagabunden* vorgetragen und hatte damit so viel Erfolg, daß er das Lied zweimal wiederholen mußte. Die Jury gratulierte, der Geschäftsführer überreichte Blumen und eine Flasche Sekt. Herr Rauchfuß war über das Tempo der Preisverleihung und mehr noch über ihre geringe Ausbeute verdutzt. Viel schneller, als er denken konnte, häuften sich seine Enttäuschungen. Er wartete schauend und hoffend, daß ihn der Herr von der Künstleragentur zu seiner Stimme beglückwünschte und ihm den Schallplattenvertrag anbot, den der Conférencier im Verlauf des Abends so oft im Mund geführt hatte. Stattdessen sagte ihm der Geschäftsführer, daß der Herr von der Künstleragentur schon nach Frankfurt abgereist war. Ich bereute, daß ich Linda nicht gefolgt und ebenfalls verschwunden war. Ich hätte am nächsten Morgen den Geschäftsführer anrufen und mir von ihm den Namen des Gewinners sagen lassen können. Stattdessen erhob ich mich jetzt von meinem Platz und mußte es zulassen, daß mir Herr Rauchfuß vorgestellt wurde. Er schöpfte Hoffnung, als er hörte, daß er mit einem Pressevertreter redete. An der Art, wie sich sein Gesicht aufhellte, merkte ich, daß er schon wieder in eine Illusion verstrickt war. Vermutlich glaubte er, ich würde eine große Reportage über ihn schreiben. Ich bat ihn, am Pressetisch Platz zu nehmen. Schon zum zweiten Mal versicherte ich, daß ich ihn von Fred Bertelmann nicht habe unterscheiden können. Aus Feigheit klappte ich meinen Stenoblock noch einmal auf und notierte ein paar seiner Sätze. Der Geschäftsführer öffnete eine weitere Flasche Sekt. Nach etwa zwanzig Minuten gelang es mir, die mir gegenübersitzende Frau Finkbeiner von der Allgemeinen Zeitung für Rauchfuß zu interessieren. Als er immer öfter in das Gesicht von Frau Finkbeiner redete, verließ ich unangenehm leise und unauffällig den Pressetisch.

Am folgenden Morgen rochen mein Sakko und meine Hose stark nach Rauch, Alkohol, Staub und Asche. Mutter lief an meinem Zimmer vorbei und sagte halblaut: Wo hat er sich nur wieder herumgetrieben. Es ärgerte mich, daß sie mich nicht direkt fragte. Ich überlegte, ob ich ungefragt das Zustandekommen meiner komplizierten Abende erklären sollte. Stattdessen sagte ich zu mir selber: Bald wirst du diese Bemerkungen in das leere Zimmer hineinsprechen müssen. Es war sonderbar, daß ich diese für meine Mutter bestimmte Drohung an mich selber gerichtet hatte. In dieser Sonderbarkeit beschloß ich, mir einen neuen Anzug zu kaufen. Ich fuhr mit der Straßenbahn in die Stadt und betrat die Herrenabteilung des erstbesten Kaufhauses. Von einem Verkäufer, der kaum älter war als ich, ließ ich mir ein paar Anzüge zeigen. Auch jetzt, als ich Anzüge anprobierte, redete ich wieder an Mutter hin. Wie hast du es lieber? fragte ich sie; soll ich mich in meiner stinkenden Berufskleidung von dir verabschieden, damit dir die Trennung leichter fällt? Oder in einem knitterfreien Straßenanzug, dessen Neuheit dich blenden wird? Ich probierte Diolen- und Trevira-Anzüge an, deren Glätte mir nicht gefiel. Es waren grünlich und braun changierende Straßenanzüge, die damals von fast jedermann getragen wurden. Ich mußte leise kichern, als ich merkte, daß auch die neue Kleidung stank. Was möchtest du lieber riechen? fragte ich Mutter. Alkohol und Asche oder den Kunstfasergeruch in nagelneuen Anzügen? Plötzlich, in der Umkleidekabine, blieb ich bei dem Wort Straßenanzug hängen. Es war dieses Wort, das seine Träger für die Straße passend machte. Es war das Wort STRASSENANZUG, das die Männer und die Straßen in einen unauflöslichen Zusammenhang brachte. Männer in Straßenanzügen wirkten wie kurz auferstandene Schatten, die sich rasch wieder abdunkelten und verschwanden, um an einer anderen Ecke als Straßenschatten im Straßenanzug wiederaufzutauchen. Wenn es das Wort Straßenanzug nicht gäbe, dachte ich, wären die drei Ausdrucksmomente Anzüge, Straßen und Männer nicht aufeinander beziehbar. Meine Einfälle beglückten mich. Als Kind hatte ich die Schuld häufig bei meiner Hose oder bei meiner Jacke gesucht, wenn ich mir Fremdheit erklären wollte. Ich erinnerte mich, wie ich als Kind mit den Eltern in die Stadt gehen mußte, um eingekleidet zu werden. Ich selbst konnte damals nicht sagen, welche Art von Kleidung mir gefiel. Auch die Eltern hatten keine Ahnung, aber sie taten so, als wüßten sie seit langer Zeit Bescheid. Ich setzte mich auf den kleinen Hocker in der Umkleidekabine, um meine Erinnerung besser aushalten zu können. Die Verkäufer konnten mir anlegen, was sie wollten, ich kam mir wie eine verkleidete Puppe vor. Ich wollte auch nicht, daß mich die anderen Menschen wegen der Neuheit meiner Kleidung extra anschauten. Genau dies geschah immer wieder. Einmal hatte ich einen Matrosenanzug, einen Strandanzug und einen Leinenanzug schon zurückgewiesen, da wurde Vater ärgerlich und befahl dem Verkäufer, er solle Lederhosen und Trachtenjacken herbeischaffen. Seit Vater in seiner Jugend einmal in Bayern gearbeitet hatte, gefiel ihm alles Bayerische sehr. Ich schlüpfte in eine Lederhose und in eine Trachtenjacke. Der Verkäufer brachte außerdem Hosenträger mit Hirschhornknöpfen an. Vater sagte, ich solle die neuen Sachen auf dem Heimweg gleich anbehalten. Ich sah im Gesicht des Vaters die Zufriedenheit. Das war ein seltener Anblick, den ich mich nicht zu stören traute. Mutter schwieg. Die Zufriedenheit des Vaters reichte hin, um sie freundlich zu stimmen. Schon auf dem Heimweg entdeckte ich, wie andere Menschen, Erwachsene und Kinder, heimlich ein bißchen über mich lachten, was Vater entweder nicht sah oder ignorierte. Mutter habe ich bis heute im Verdacht, daß sie meine Beschämung bemerkt hatte. Ich stolzierte als kleiner Kunstbayer und

Fremdkind nach Hause. Weil ich die Freude der Eltern nicht beeinträchtigen wollte, tat ich so, als hätte ich die mir da und dort entgegenblickenden Verhöhnungen nicht bemerkt. Jetzt, in der Erinnerung, kam es mir so vor, als sei die Kindheit überhaupt der Ursprung aller Lächerlichkeit. Die Eltern verfehlten das Kindswohl und gaben das Kind damit der komischen Unzulänglichkeit preis. Zwischen den engen Wänden der Umkleidekabine fragte ich mich, ob das Moment der Pein durch fehlgehende Kleidung noch immer in mir nachhallte oder neu auflebte. Obgleich mir der Diolen-Anzug, in dem ich gerade steckte, sogar paßte, zog ich ihn wieder aus und schlüpfte zurück in meinen übelriechenden Je-ka-mi-Anzug. Ich war jetzt sicher, daß ein Kindheitszustand, den ich für ausgestanden und abgelebt gehalten hatte, unverändert in mir fortlebte. Erst in den Augenblicken, als ich dem Verkäufer den Diolen-Anzug zurückgab, riß wenigstens die Spur meiner Erinnerung. Eine halbe Stunde später setzte ich mich ein wenig benommen an den Schreibtisch in der Redaktion. Ich wollte mir alles aufschreiben, was ich über Kleidung, Kindheit und Straßenanzüge gedacht hatte. Ich wartete eine Weile, aber meine Gedanken und Einfälle kehrten nicht wieder zurück. Der Sportredakteur lief draußen vorbei und summte vor sich hin: Tschambaleia die Katz legt Eier tschambaleia. Fräulein Weber lachte. Ich lachte nicht, denn mir mißlang auch mein Je-ka-mi-Artikel. Herrdegen wünschte über den ganzen Abend genau zwanzig Zeilen plus Foto und Bildunterschrift. Dummerweise geriet ich ins Nachdenken. Ich verstand nicht, wie ein großes, stadtbekanntes Vergnügungslokal die Menschen dazu verführte, ihre heimlichsten Gefühle öffentlich zu zeigen; wie die Menschen sich dazu hinreißen ließen, auch noch unter Vorspiegelung einer Belohnung, sich hoffnungslos zu offenbaren; und wie diese Gefühle nach vier Stunden ausgelöscht und verbrannt wurden wie ein Haufen alter Autoreifen. Ich selbst wirkte, indem ich nur zwanzig Zeilen schreiben durfte, an dieser Vernichtung mit. Ich machte einen Versuch, mit Herrdegen über den Fall zu sprechen. Herrdegen sagte, ich sollte nicht so sehr herausfinden wollen, was wahr und unwahr ist. Es ist nicht die Aufgabe einer Zeitung, sagte Herrdegen, die Wahrheit mitzuteilen. Was wahr ist, muß jeder einzelne Mensch für sich persönlich herausfinden. Die Zeitung stellt für diese Suche nur das Material bereit, mehr nicht. Im übrigen, sagte Herrdegen, begeistert sich das Publikum für eine Lüge genauso wie für deren Aufdeckung. Die Zeitung ist ein Schaufenster, kein Gericht, das müssen Sie akzeptieren. Ich fand Herrdegens Meinung sowohl klug als auch fürchterlich. Mir fiel sogar ein Argument gegen ihn ein. Ich wollte sagen, daß die einzelnen Menschen überfordert sind, für sich allein eine Wahrheit zu finden, und daß ihnen die Zeitung dabei helfen könne. Aber ich war viel zu aufgeregt darüber, daß ich mit Herrdegen nicht einer Meinung war, und konnte mein Argument nicht in zwei gutgebaute Sätze verwandeln. Stumm ging ich in mein Zimmer zurück und fing noch einmal an, zwanzig Zeilen über ein Massengrab von Gefühlen zu schreiben. Es war mir nicht erlaubt beziehungsweise es war nicht meine Aufgabe beziehungsweise es war unmöglich, über die wirkliche und wahre und von mir persönlich beobachtete Enttäuschung des Herrn Rauchfuß einen authentischen, weil zutreffenden Bericht zu schreiben. Offenbar mußte ich hinnehmen, daß alle, die hier arbeiteten, mal mehr, mal weniger an eingestandener Infamie litten und daß Herrdegen ein Argument gefunden hatte, das ihm ein Wohlbehagen inmitten dieser Infamie erlaubte. Über dreißig unbekannte, aber hoffnungsvolle Nachwuchskünstler trafen sich im Bürgerbräu zum neuesten Je-ka-mi-Wettbewerb, tippte ich in die Schreibmaschine. Danach wußte ich nicht weiter. Ich sah zum Fenster hinaus. Erneut machte mir das Kartell der Einfalt zu schaffen. Im Fall des Je-ka-mi-Abends waren es sogar leibhaftige Menschen, die ihre Schlichtheit selbst zu Markte trugen beziehungsweise auf einer Bühne zur Schau stellten. Wieder konnte ich niemanden ausfindig machen (außer den Freizeitkünstlern selber), der an diesen Selbstentblößungen schuld war. Ich mußte hinnehmen, daß Dummheit für Dumme unterhaltsam war. Ich stand jetzt dicht hinter der Fensterscheibe und kämpfte gegen meine Niedergeschlagenheit. Offenbar war das Leben so angelegt, daß Einsichten dieses Kalibers mit privater Melancholie bezahlt werden mußten. Auf der Straße ging eine alte Frau mit einem sehr faltigen Hals und einer Perlenkette vorüber. Sie aß getrocknete Rosinen, die sie einzeln aus einem Papiertütchen herausholte. Immer wieder verschwand ein kleines Teilstück ihrer Perlenkette für Augenblicke in einer der tiefen Halsfurchen, sobald die Frau den Kopf drehte. Gierig stürzte sich meine Trauer auf das Auf- und Abblitzen der Perlen und löste sich dabei langsam auf. Kurz vor zwölf öffnete Fräulein Weber die Tür und fragte, ob ich mit ihr zum Mittagessen gehe. Dankbar sagte ich: Aber ja doch, wann soll's losgehen? Von mir aus sofort, sagte Fräulein Weber. Ich komme, sagte ich und schob die Maschine mit dem angefangenen Artikel in die Mitte des Schreibtischs.

Fräulein Weber trug an diesem Tag eine helle und frische Bluse mit aufgenähten Goldsternen und tiefem Ausschnitt. Außerdem einen neuen engen Leinenrock und hellbeige, offenbar ebenfalls neue Slipper. In der Kantine entschied sie sich für Menü I (Rosenkohl, Hackbraten, Bratkartoffeln und Salat), ich wählte Menü II (Forelle blau mit Salzkartoffeln und Dessert). Noch während wir uns einen Platz suchten, beschwerte sich Fräulein Weber darüber, daß die schäbigen Kunststofftabletts, auf denen wir die Menüs vor uns hertrugen, nicht zur tadellosen Neuheit ihrer Kleidung paßten. Ich wollte schon erwidern, daß sie zu meinem Staubanzug sehr wohl paßten, aber ich hielt die Bemerkung zurück. In der Nähe des Aquariums fanden wir zwei Plätze. Hinter uns saßen ein paar ältere Packerinnen und Packer, die trotz ihres Alters ganz undeutlich über ihre Probleme redeten. Fräulein Weber nahm Anstoß an ein paar Kollegen, die über ihr Mittagessen gebeugt waren, ohne die Teller von den Tabletts heruntergenommen zu haben.

Ich könnte niemals mit einem Tablett unterm Teller essen, sagte sie; ich hätte dann das Gefühl, mich in einem Internat oder einem Landschulheim aufzuhalten.

Ich nickte zerstreut und sah den kleinen Neonfischen im Aquarium dabei zu, wie sie einander verfolgten und immer neue Schwärme bildeten, die sich dann rasch wieder auflösten. Ich überlegte, ob ich sagen sollte, daß das Internatsgefühl wahrscheinlich nicht von den Tabletts herrührte, sondern von der Raumaufteilung innerhalb der Teller. Jeder Teller war in drei Nahrungszonen parzelliert, die mit tellerrandhohen Wänden voneinander abgetrennt waren. Es gab in jedem Teller ein einzelnes großes Fach links, in dem in der Regel ein Stück Fleisch in einer Sauce lag. Daneben gab es zwei kleinere Fächer für die Beilagen. Durch die niedrigen Porzellanwände kam die Hauptspeise nicht mit den Beilagen in Berührung. Fräulein Weber redete jetzt über Tanzturniere, die sie besucht hatte, und hielt mir dabei ihre bloßen Arme entgegen. Sie öffnete und schloß immerzu die Finger einer Hand, sie faßte sich unter die Achseln und kratzte sich, wobei ihr Handrücken ihren Busenansatz nach oben drückte und über den Rand des Ausschnitts schob. Einmal hob sie mit den Händen das Haar und ließ mich ihre Ohren anschauen. Ich fragte mich, ob dieses körperliche Detail ein erotischer Hinweis an mich sein sollte oder nicht. Eigentlich gefiel mir Fräulein Weber. Schon öfter hatte ich mir überlegt, ob ich mich nicht mit ihr verabreden sollte. Aber ich fürchtete mich davor, daß ich dann über mein Leben reden und zugeben mußte, daß ich in Kürze wieder ein Lehrling sein würde, und darüber wollte ich nicht reden. In dieser Ratlosigkeit waren bis jetzt alle weiteren Absichten verschwunden. Fräulein Weber kündigte an, daß sie am Wochenende wieder ein Tanzturnier besuchen wollte, obwohl sie eigentlich keine Lust dazu hätte.

Sie tanzen auf Turnieren? fragte ich.

Nein! Wo denken Sie hin! Ich bin nur Zuschauerin, sagte sie.

Aber Sie sagten doch, Sie hätten gar keine Lust, auf dieses Tanzturnier zu gehen?

Nein, sagte Fräulein Weber, ich finde tanzende Männer sogar blöd. Besonders die Tangotänzer! Sie hopsen wie eckige Affen herum und finden sich weiß Gott wie toll.

Wir lachten. Fräulein Weber unterbrach das Essen und zündete sich eine Zigarette an. Vermutlich gelang es mir, durch mein Lachen zu verbergen, daß ich Fräulein Weber seit einigen Augenblicken nicht mehr recht verstand. Die nächste Frage, warum sie diesen ungeliebten Tanzturnieren nicht fernblieb, stellte ich nicht mehr. Offenbar war heute der Tag des großen allgemeinen Nichtverstehens. Ich betrachtete eine Packerin, die versuchte, eine Fliege zu fangen. Aber die Packerin war langsam und ungeschickt. Immer wieder entkam die Fliege und kreiste erneut in niedriger

Höhe über zwei zurückgelassene Kartoffeln im Teller der Packerin. Dann verstand ich, es waren nicht die Fliegen, die die Packerin provozierten, sondern deren unverschämt niedrige Flughöhe. Es war mir nicht recht, daß ich schwieg. Fräulein Weber drückte ihre Zigarette aus und aß weiter. Vielleicht hatte sie bemerkt, daß irgendetwas zwischen uns verrutscht war und nicht mehr stimmte. Ich dachte mir den Text einer kleinen Vereinbarung aus, die Fräulein Weber vielleicht mit sich selbst getroffen haben könnte. Ich, Fräulein Weber, werde es künftig unterlassen, meine Unzufriedenheit auf den mangelnden Einsatz meiner Intelligenz zurückzuführen; ich erwerbe dafür das Recht auf sinnlose, aber niedliche Nörgeleien, mit denen ich in der Mittagspause meine Kollegen unterhalte. Dummerweise machte ich einen Fehler und kicherte leise über meinen eigenen Einfall.

Sagen Sie mir, worüber Sie sich amüsieren? fragte Fräulein Weber.

Über ein Wort, antwortete ich.

Oh! machte sie; nur über ein Wort?

Ich dachte gerade, sagte ich, daß es jetzt Zeit wird, daß wir unsere Anstaltsteller zurückgeben.

Anstaltsteller! wiederholte Fräulein Weber und lachte hell auf. Anstaltsteller, das werde ich mir merken!

Fräulein Weber schaute mich zufrieden an. Die Stimmung zwischen uns schien gerettet, jedenfalls für diese Stunde. Fräulein Weber tänzelte neben mir her zurück in die Redaktion. Die meisten Türen standen offen, ein schwaches Lüftchen zog durch die Räume. Aus mehreren Zimmern drang das Geklapper von Schreibmaschinen. Es war ein Geräusch des Wohlwollens, dem ich mich gerne hingab. Das Wort Anstaltsteller brachte zwischen Fräulein Weber und mir eine Gemeinschaftsstimmung hervor, die uns jetzt wie ein Pärchen durch die Flure gleiten ließ. Den Anschein der überraschenden Übereinstimmung verstand ich nicht, aber dann fiel mir ein, daß der Tag des großen allgemeinen Nichtverstehens noch nicht zu Ende war. Den Je-ka-mi-Artikel ratterte ich jetzt mit hochtouriger Geläufigkeit herunter. Herrdegen verzichtete erneut auf Gegenlektüre und gab mir ein Zeichen, daß ich meinen Text gleich in die Setzerei geben sollte. Die Nachricht erreichte mich beiläufig. Der Lokalreporter Kindsvogel nannte mir am Telefon ein paar technische Details über ein geplantes neues Schwimmbad, über das ich am späteren Nachmittag ebenfalls schreiben wollte. Dann, das Telefongespräch war schon fast zu Ende, sagte Kindsvogel: Lindas Schreibtisch wird gerade geräumt. Obwohl dieser Satz die Nachricht schon enthielt, stellte ich mich stutzig und schwieg. Wissen Sie es noch nicht? fragte Kindsvogel. Als ich stumm blieb, sagte er: Linda hat sich das Leben genommen. Es tut mir leid, es tut uns leid. Übermorgen ist die Beerdigung. Oh Gott, machte ich. Ja, sagte Kindsvogel, sie hat sich im Haus ihrer Eltern erhängt.

6

Einen solchen Satz hatte noch nie jemand an mich hingesprochen. Ein paar Augenblicke lang versuchte ich mir das vorzustellen: wie Lindas Körper irgendwo hing. Die Vorstellung brachte kein Bild, sondern nur einen Schrecken hervor. Ich dankte Kindsvogel und legte auf. Die Nachricht verlangsamte mein Denken. Bei Fräulein Weber entschuldigte ich mich für eine halbe Stunde und verließ die Redaktion. Unten, auf der Straße, störte mich, daß an einem Briefkasten die Briefklappe nach oben stand. Ich kam an dem italienischen Café am Marktplatz vorbei, das es erst seit ein paar Wochen gab. Fenster und Türen des Cafés waren weit geöffnet. Hinter der Theke stand ein junger Mann, der Gläser und Eisbecher spülte und dabei den Schlager mitsang, der aus der Musikbox ertönte. Das heißt, er sang mit gesenktem Kopf auf die Spüle herab. Das im Spülwasser versinkende Lied ist der richtige Ausdruck für deine Trauer, dachte ich. Ich wollte mir in der Nähe des singenden Spülers einen Platz suchen, aber dann störte mich der Lärm ringsum. Ich drehte ab und ging an dem Briefkasten vorbei. Im Augenblick, als ich die nach oben stehende Klappe nach unten drückte, dachte ich: Aus zu Schluß vorbei für immer. Die Straße, die ich entlangging, war breit und mit Kopfsteinen gepflastert. Die schwarzen Kuppen der Steine glänzten in der Sonne. In der Mitte zogen sich schnurgerade Straßenbahnschienen hin. Der Straßenbahnverkehr war hier seit Jahren eingestellt, aber die Schienen waren nicht entfernt worden. Sie zeigten jetzt nichts als eine leere Ferne, die immer neu in der Mitte der Straße entsprang und nirgendwo hinführte. Eine Weile redete ich mir ein, daß Menschen von hinten trauriger und trauererregender aussahen als Menschen von vorne. Und weil ich viele Personen gleichzeitig von hinten betrachtete, glaubte ich momentweise, mich inmitten einer großen Trauergesellschaft zu befinden. Erst die zwanghafte Art, mit der ich an meiner Idee festhielt, verriet mir immer neu, daß ich alleine trauerte und niemand von meiner Trauer wußte. Am Ende der Schienenstraße lag ebenfalls ein Café mit ein paar Stühlen auf einem terrassenartigen Vorplatz. Es war nicht schön hier, nicht einmal still. Neben dem Café wurde ein größeres Haus gebaut. Der Lärm der Betonmischmaschine beherrschte fast die ganze Terrasse. Trotzdem setzte ich mich nieder und bestellte ein Glas Rotwein und ein Mineralwasser. Der Kellner zuckte entschuldigend die Achseln, vermutlich wegen des Baulärms. Wind kam auf und trug leichte Sandverwehungen in die Umgebung. Zufällig faßte ich mir ins Haar und ertastete dort ein paar Sandkörner. Mit den Fingerkuppen rieb ich die Staubkörner eine Weile auf meiner Kopfhaut hin und her. Durch den Sand im Haar hatte ich plötzlich Anteil am Tod. Es ergriff mich eine Art freudiger Bestürzung. Der Sand im Haar drückte meine Trauer erheblich persönlicher aus als der im Spülwasser versinkende Schlager. Ich schaute den leeren Drehungen der Betonmischmaschine zu und wartete auf die nächste Sandverwehung. Ich lebte und staubte ein, ich lebte und war gleichzeitig ein bißchen tot. Näher war ich Linda nie zuvor gewesen. Nach einer Weile legte ich mir einen Arm über die Augen und verbarg die Tränen. Nach einer halben Stunde zahlte ich und ging zurück in die Redaktion. Herrdegen trat in mein Zimmer und fragte: Werden Sie zur Beerdigung der verstorbenen Kollegin fahren?

Ich würde gern, sagte ich.

Sie können zwei Tage Sonderurlaub haben, sagte Herrdegen.

Danke, sagte ich.

Ich war dankbar für Herrdegens Diskretion. Er nannte Linda eine *verstorbene* Kollegin und umging damit jede Diskussion der Todesart und der Gründe, die es für diese vielleicht gab. Am Frühabend ging ich zum Bahnhof und erkundigte mich nach einer Verbindung. Ich würde mit dem Zug bis Wilhelmshaven fahren und von dort weiter mit dem Bus bis zur Küste. Die Fahrt dauerte einen halben Tag, am Abend davor ging ich früh ins Bett. Die Reise an die Nordsee war meine erste größere Reise überhaupt. Am Tag der Abfahrt ließ ich mich um fünf Uhr wecken. Eine Weile hatte ich mir überlegt, ob ich mich anläßlich der Beerdigung nicht doch neu einkleiden sollte, war dann aber wieder davon abgekommen. In meiner Je-ka-mi-Garderobe hatte mich Linda zuletzt gesehen. So schlüpfte ich erneut in meinen (so nannte ich ihn jetzt) Staub-und-Asche-Anzug. Während des Frühstücks überlegte ich, daß es für ihren Tod drei Gründe geben könnte. Die Unmöglichkeit, ihre Heimat zu verlassen, die Unmöglichkeit, mit ihrem Freund, dem Seemann, zurechtzukommen, und die Unmöglichkeit, ihren Roman zu schreiben. Später, im Zug, zwischen Koblenz und Köln, erwog ich, ob *ich* Lindas Roman schreiben sollte, zu ihrem Andenken. Sie hatte mir oft von diesem Roman vorgeschwärmt. Manchmal hatte ich beim Erzählen schon das Gefühl, ich sei mit ihr auf dem Frachter nach New York gefahren und ich hätte mit ihr Reißaus genommen vor dem zudringlichen Matrosen. In Dortmund betrat eine Mutter mit Kind das Abteil. Das

Kind forderte die Mutter auf, ein Bild zu malen, und zwar einen »Fisch mit Augen zu«. Die Mutter gehorchte und malte auf der Rückseite eines Kassenzettels einen Fisch mit Augenklappe. Aber das Kind nahm das Bild nicht an und verlangte erneut einen »Fisch mit Augen zu«. Ich nahm an, es war der Wunsch des Kindes, die Mutter sollte mit geschlossenen Augen einen Fisch malen, aber ich traute mich nicht, die Mutter auf diese Idee zu bringen. Als das Kind merkte, daß die Mutter auch beim zweiten Anlauf seinen Wunsch nicht verstand, stellte es sich eine Weile an das halboffene Fenster und sang in den Fahrtwind hinaus. Diese Art des Trostes (hinaus ins windige Nichts) beeindruckte mich so stark, daß ich fast eine ganze Stunde lang nicht an Linda denken mußte. In Osnabrück stieg die Frau mit Kind wieder aus. Als der Zug stand, ließ sich eine Elster auf dem Nebengleis nieder. Der Vogel lief auf dem schimmernden Schienenstrang entlang und pickte zuweilen mit dem Schnabel auf den Stahl. Ich fragte mich, ob Linda als Selbstmörderin innerhalb oder außerhalb des Friedhofs beerdigt würde. Ich erinnerte mich an einen Selbstmord, der sich in unserer Nachbarschaft zutrug, als ich ein Kind war. Der Selbstmörder war ein kriegsversehrter Mann, der von Beruf Kunsttischler war und sich in der Nachkriegszeit nicht mehr zurechtfand. Im Krieg war ihm sein linker Fuß abgeschossen worden. Außerdem konnte er das Kniegelenk nicht mehr bewegen. So humpelte er mit einem starren Bein und einem Klumpfuß umher und ertrug (ertrug eben nicht) die Hänseleien der Nachbarskinder (unter ihnen: ich), die er aufgrund seiner Behinderung nicht verfolgen und bestrafen konnte. Eine Stelle als Kunsttischler fand er nicht mehr. Er wurde ein Arbeitsloser, der von Woche zu Woche bitterer darüber klagte, daß es ihm bei den Nazis viel besser ergangen war, obgleich die Nazis schuld daran waren, daß er in den Krieg hatte ziehen müssen und dabei einen Fuß verloren hatte. Immer öfter wegen dieser Dummheit (und immer seltener wegen des Klumpfußes) machten sich die Nachbarn über ihn lustig. Er fühlte den Spott, konnte aber auch ihn nicht abstellen, sowenig wie die Hänseleien der Kinder. Seine Frau baute in diesen Jahren in einem Geräteschuppen eine Dampfwäscherei auf. Erst in einem, dann in zwei großen Kesseln wusch sie jeden Tag große Mengen weißer und bunter Wäsche. Ihr Mann ging ihr zur Hand, so gut er konnte. Weil er aber nicht aufhören konnte, die Nazizeit zu loben, wurde er von seiner Frau zurechtgewiesen und vom Umgang mit ihren Kunden mehr und mehr ferngehalten. Eines Morgens, als die Ehefrau wie üblich die Kesselfeuer anzünden wollte, fand sie ihren Mann hängend in der Waschküche. Sie stürzte schreiend hinaus in den Gemüsegarten des Hinterhofs und lief eine Weile (das sagte meine Mutter) wie ein geköpftes Huhn umher. Mutter erzählte damals auch, daß der Kunsttischler tatsächlich außerhalb des Friedhofs bestattet wurde, in der Nähe des Eingangs, dicht an der Mauer, ohne Pfarrer, ohne Segen, ohne Gebet, ohne Trost: zur Strafe dafür, daß er in Gottes Zuständigkeit eingegriffen hatte.

Ich war deswegen erleichtert, als ich sah, daß Lindas Grab *innerhalb* des Friedhofs angelegt war. Es war ein winzig kleiner Friedhof auf dem Gipfel einer kleinen Anhöhe. Nach fast neun Stunden Bahn- und Busfahrt war ich erschöpft und setzte mich eine Weile auf eine Bank in der Nähe des offenen Grabs. Weil ich ein wenig verfrüht eingetroffen war, konnte ich meine Blicke langsam an die Umgebung gewöhnen. Ältere Leute, offenbar aus dem Dorf, kamen vorbei, blieben stehen, sahen herüber und betraten dann den Friedhof oder gingen weiter. Vielleicht wurde auch ihnen die Entscheidung schwer, ob sie an der Beerdigung einer Selbstmörderin teilnehmen sollten oder nicht. Ein Auto hielt, ein Mann stieg aus und hob vorsichtig einen Kranz aus dem Fond des Wagens. Rechts, etwa einen halben Kilometer vom Grab entfernt, sah ich das Meeresufer. Es war kein richtiges Ufer, sondern ein unscheinbarer Meeresrand, eine graue, schlammige Wassergrenze mit ein paar Möwen darüber. Allmählich trafen mehr Trauernde ein. Es waren junge Frauen darunter, die ich für Lindas ehemalige Schulfreundinnen hielt. Auch einige ältere Frauen sah ich. Ich betrachtete sie einzeln und fragte mich, welche von ihnen Lindas Mutter sein könnte. Zur linken Seite hin hatte der Friedhof keine Begrenzung. Er hörte hier mit einem schmalen Sandweg auf, auf dessen Gegenseite Maispflanzen hochwuchsen. Auf den glatten Maisblättern spiegelten sich Lichtreflexe. Die Sonne stand hoch. Am rechten Friedhofsrand, zum Meer hin, hoppelten zwei Karnickel zwischen den Gräbern umher. Die Hortensien ringsum waren schon halb abgewelkt. Ihre riesigen Blütenballen hatten sich violett und braun eingefärbt. Die Trauernden drängten jetzt zur winzigen Trauerhalle hin. Ich erhob mich und stellte mich zu ihnen. Vorne, an der Stirnseite, war der Sarg aufgebahrt. Es erschien ein Priester, aber er redete nicht. Er stellte sich vor dem Sarg auf, faltete die Hände zum Gebet und machte dann das Kreuzzeichen. Der Mann neben mir trug einen offenen Hemdkragen. Die linke Kragenspitze war über das Revers seiner Anzugjacke gerutscht. Vier Friedhofsarbeiter erschienen und stellten sich, zwei links und zwei rechts, an den Seiten des Sargs auf. Der Priester verließ die Kapelle, die Friedhofsarbeiter hoben den Sarg und folgten ihm. Bis zum Grab waren es nur ein paar Schritte.

Ich habe nicht sehen können, wo die Friedhofsarbeiter plötzlich die schweren Seile herholten, die sie jetzt unter dem Sarg durchschoben. Zentimeterweise senkten sie den Sarg in das Grab hinab. Dann wurde es still. Kleine Wolken, wie für das unruhige Auge geschaffen, schoben sich rasch am Himmel entlang. Von der Friedhofskapelle tönte eine Melodie herüber, die ich nicht kannte. Es schien eine von Lindas Lieblingsmelodien zu sein. In diesen Augenblicken, als Linda nur noch durch eine kurz vorüberhuschende Musik auf der Welt war, brachen ein paar ältere Frauen in Schluchzen aus. Der Körper einer der Frauen krümmte sich nach vorne. Sie wurde seitlich von zwei anderen Frauen abgestützt. Mir halfen ein paar tief herabhängende Telegrafenleitungen, deren Anblick mich tröstete. Vielleicht war nicht einmal der Tod das Schlimmste. Sondern der Zwang, ein beliebig törichtes Ereignis (den Je-ka-mi-Abend) zur letzten Erinnerung an einen toten Menschen umdeuten zu müssen. Die beiden Karnickel fraßen jetzt frisches Grünzeug von den Gräbern herunter. Gewitterluft lag über der Landschaft, aber das Gewitter blieb aus. Ich sah ein paar Möwen zu, die im Steilflug herabstürzten und am Boden liegende Schneckenhäuser aufschlugen. Der Priester schüttete drei Häuflein Erde in das Grab und gab der Frau, die am stärksten geschluchzt hatte, die Hand, redete aber nicht mit ihr. Einige Trauernde warfen ebenfalls Erde in das Grab, andere nicht. Der Priester blieb noch eine Weile am Grab stehen, dann ging er weg. Allmählich verliefen sich die Trauernden. Ich ging in einigem Abstand hinter ein paar Männern her, deren Weg ins Dorf führte. Ich war in Versuchung, mich nach Lindas Elternhaus durchzufragen, das seit kurzem auch ihr Sterbehaus war. Lindas Dorf war eine merkwürdig ungeordnete Ansammlung von etwa vierzig bis fünfzig niedrigen Häuschen. Straßennamen gab es nicht, nur Hausnummern. Die Landschaft ringsum (Salzwiesen, Äcker, Dünen, Brachland) wirkte leblos, fast unbewohnt und auch unbewohnbar. Um einige Häuser herum standen hohe Brombeerhecken und ältliche Schilfstengel. Am Dorfeingang gab es einen Laden mit einem schmalen Schaufenster. Über dem Ladeneingang war zu lesen: MODE UND TEXTIL S. JENSEN. Am Boden des Schaufensters lagen zwei Strickwesten und ein Rock in den Farben des Dorfes: braunes Violett, schmutziges Türkis, graues Gelb. Die einzige Heiterkeit ging von einem älteren Mann und zwei nackten Kleinkindern aus. Der Mann wässerte mit einem Gartenschlauch einen kleinen Gemüsegarten und richtete den Wasserstrahl manchmal auf die vergnügt schreienden Kinder. Ein schmaler Wasserlauf durchquerte das Dorf und führte zu einem Sielhafen, in dem ein paar Fischerboote festgemacht hatten. Vor einem Haus stand ein kleines Holzwägelchen, dessen Deichsel auf den Boden herunterreichte. Im Haus daneben gab es einen Lebensmittelladen mit einem ebenfalls schmalen Schaufenster. Ausgestellt waren Putzmittel, Scheuerbürsten, Fliegenfänger, Packpapier und drei Rollen starker Kordel. Im Hintergrund lehnte ein Schild: CHEMISCHE REINIGUNG ANNAHME HIER. Und darunter: GEPFLEGTE KLEIDUNG MACHT GLÜCKLICH. An der Tür hing eine Schiefertafel mit der handgemalten Aufschrift »Zimmer frei«. Ich kam für eine Weile ins Überlegen. Ich könnte den Laden betreten und nach Lindas Elternhaus fragen, ich könnte hier übernachten und am nächsten Tag einen Versuch machen, mit Lindas Mutter zu sprechen. Vermutlich, dachte ich, würde sie mit einem Fremden nicht sprechen, aber ich hätte es probiert. Aber dann öffnete sich die Tür, eine Frau verließ den Laden. Sie ließ die Tür offenstehen. Ein Geruch nach harten Eiern, Gurken, alten Aktentaschen und Seife drang nach draußen, ein lebhafter Todesgeruch. Wenige Sekunden später entschloß ich mich doch zur Rückkehr. Die Bushaltestelle war nur wenige Schritte von dem Lebensmittelladen entfernt. Nach rund zehn Stunden, gegen Mitternacht, traf ich zu Hause ein.

7

Nach der Rückkehr von der Beerdigung ließ mich Herrdegen zwei Tage lang in Ruhe. Ich erledigte meine Arbeit und saß dann herum. Seit Linda nicht mehr da war, hatte ich immer wieder das Gefühl, in notdürftig geflickten Verhältnissen zu leben. Einmal erschien Angelmaier morgens in der Redaktion und führte lange Ferngespräche auf Redaktionskosten, was ihm ausdrücklich verboten war. Aber offenbar wußte er, daß Herrdegen an diesem Morgen einen Außentermin hatte, und mich nahm er als Kontrollinstanz nicht ernst. Vielleicht wollte mich Angelmaier kränken, aber ich hatte kein Bedürfnis, Kränkungen zu bemerken oder gar auf sie zu reagieren. Stattdessen erinnerte ich mich an Mutter. Wenn ich mich als Kind langweilte, holte sie den großen Koffer vom Schrank herunter. Er war bis zum Rand gefüllt mit Lappen, Stoffetzen, Knöpfen, Gürteln, Schulterpolstern. Ich wühlte eine Weile in diesen Dingen herum, war phasenweise fasziniert, aber plötzlich wußte ich nicht, ob mich das Spiel mit den Lumpen von der Langeweile befreit oder mich erst richtig in diese hineingestürzt hatte. So ähnlich fühlte ich mich in diesen Tagen. Ich überlegte, ob ich später in den »Grünen Baum« gehen und über Lindas Roman reden sollte. Ich hätte damit immerhin zum Ausdruck bringen können, daß ich um Linda trauerte und ihrer gedachte. Zum Beispiel hätte ich mit Kindsvogel über Lindas letztes und vielleicht unüberwindliches Romanproblem sprechen können: ob sie die

Zudringlichkeiten des Matrosen schon während der Schiffsfahrt oder erst zu Beginn des Aufenthaltes in New York erzählen sollte. Linda hatte zuletzt gemeint, es würde zuviel Spannung verlorengehen, wenn der Matrose die Frau schon auf dem Schiff belästigte. Was soll denn dann noch in New York passieren? Leider konnte ich ihr keinen brauchbaren Rat geben. Ich hatte nur, wie alle anderen Kollegen auch, um das Problem herumreden können. Ich wollte nicht einmal länger mit den Kneipenschriftstellern zusammentreffen, die Abend für Abend über Bücher redeten, die sie nicht geschrieben hatten und wahrscheinlich nie schreiben würden. Gegen Mittag kam Herrdegen zurück. Ich hörte, wie er in seinem Zimmer seine Sachen ablegte, das Fenster öffnete und ein Glas Wasser trank. Dann kam er zu mir herüber.

Störe ich Sie?

Überhaupt nicht, sagte ich.

Ich würde Sie gerne etwas fragen. Zum Jahreswechsel verläßt Herr Wettengel unser Haus. Wenn Sie wollen, können Sie seine Stelle übernehmen. Normalerweise muß man, um Redakteur zu werden, ein zweijähriges Volontariat machen. Ein Jahr könnte Ihnen geschenkt werden wegen der Urlaubsvertretung, die Sie jetzt bald hinter sich haben. Sie müßten also noch ein Jahr Volontär sein, vor allem müßten Sie noch eine Weile in der Politik, in der Wirtschaft und im Sport arbeiten, aber dann wären Sie Redakteur bei uns.

Vermutlich nahm Herrdegen an, daß ich gleich zusagen würde. Stattdessen erlitt ich einen Schweißausbruch. Ich hatte kein Taschentuch bei mir. Deswegen wischte ich mir mit dem rechten Ärmel meines Staubanzugs den Schweiß von der Stirn. Erst als ich über die Zeit schwieg, sagte Herrdegen: Sie müssen sich nicht sofort entscheiden; es reicht, wenn Sie mir in vierzehn Tagen Bescheid sagen.

Denken Sie nicht, sagte ich (und suchte nach einer Förmlichkeit), daß ich Ihr Angebot nicht zu schätzen weiß. Ich bin nur so sehr verblüfft, daß ich im Moment nichts sagen kann.

Herrdegen lachte.

Dann laß ich Sie jetzt am besten in Ruhe, sagte er und verließ den Raum.

Ich tippte noch zwei Bildunterschriften, dann war für mich der Arbeitstag zu Ende. Kurz vorher erschien Herrdegen noch einmal und reichte mir einen Zettel mit der Adresse eines Rentners, der in Griesheim lebte. Ihn sollte ich morgen früh um 11.00 Uhr interviewen. Der Rentner hieß Erich Wagenblaß und hatte sich als Bastler hervorgetan. Er baute aus Streichhölzern berühmte Denkmäler und Gebäude nach. Jetzt hatte er den Eiffelturm nachgebaut und kam deswegen in die Zeitung.

In der halben Stunde, die mir bis Geschäftsschluß noch blieb, unternahm ich in zwei Tagen den vierten oder fünften Anlauf, mir einen neuen Anzug zu kaufen. Aber ich fühlte, daß ich erneut scheitern würde. Ich durchstreifte die Herrenabteilung zweier Kaufhäuser und spürte immer deutlicher meine inneren Widerspenstigkeiten. Ich wurde Opfer eines Ticks, dessen Kontrolle mir mehr und mehr entglitt. Der Tick bestand darin, daß mein Staubanzug und ich immer stärker zusammenwuchsen. Mein Staubanzug war *der* Anzug, in dem mich Linda zuletzt gesehen hatte. Ich konnte diesen Anzug nicht einfach wegwerfen und einen neuen anziehen. Nein, in Wahrheit war mein Tick schon weiter fortgeschritten. Ich blieb jetzt immer mal wieder stehen und hob mir den Saum des Sakkos vor die Nase, weil ich den Geruch von tausend Vergeblichkeiten, der in diesem Anzug steckte, zu lieben begonnen hatte. Manchmal stellte ich mir vor, Linda schaut aus ihrem Grab hervor und erkennt mich im Gewimmel der Menschen nur deswegen, weil ich nach wie vor meinen Staubanzug trage. Dabei wollte ich nachdenken, ob ich Herrdegens Angebot annehmen sollte oder nicht. Eigentlich gab es nicht viel zu denken. Die Verlockung von Herrdegens Angebot war enorm. Ich mußte nur ja sagen, und der Spuk der Lehre hätte ein Ende. So einfach war es mir noch nie gemacht worden, einer unangenehmen Situation zu entfliehen. Aber ich konnte das Gefühl nicht unterdrücken, daß mir auch die Arbeit beim Tagesanzeiger unbehaglich geworden war. Sowohl in der Spedition als auch bei der Zeitung war ich für die Bearbeitung grober Wirklichkeit zuständig. Als Lehrling trug ich Kisten umher, als Reporter hob ich die Eitelkeiten von Kleinbürgern (Je-ka-mi!) ins Blatt. Ich durchstreifte das Erdgeschoß des Woolworth und betrachtete eine ältere Frau, die sich ewig lange in der Abteilung Haushaltswaren aufhielt und dann doch nur ein Haarnetz für 1,50 Mark kaufte. Ich stand in einer Ecke und roch am Saum meines Sakkos. Es wurde wieder nichts mit der Anschaffung eines neuen Anzugs. Zum ersten Mal stellte ich mir vor, daß es schön wäre, wenn ich zu Hause ebenfalls einen angefangenen Roman liegen hätte. Dann würde ich jetzt rasch mein Zimmer aufsuchen und meine Manuskriptmappe öffnen. Ich verließ das Woolworth und hatte nicht entscheiden können, ob ich Herrdegens Angebot annehmen sollte oder nicht. Ich beobachtete den Kellner eines Terrassenlokals, der einen Stuhl in die Höhe hob und ihn über die Köpfe der Gäste hinweg ans andere Ende der Terrasse trug. Eine Fontäne der Sehnsucht stieg in mir empor und rief: Ja, ein Roman! Meine Seele war beeindruckt, daß sie von einem derart bedeutungsvollen Wunsch durchzuckt worden war. Sie schaute jetzt mit Wohlgefallen auf sich selbst und ihre Tollkühnheit. Ich schützte sie, indem ich reglos herumstand und wartete, bis sie ihre eigene Unaussprechlichkeit durchlebt hatte.

Der folgende Morgen war schwül und dunstig. Die Sonne erhitzte die Luft, klarte aber den Tag nicht auf. Ich zog ein kurzärmeliges Hemd an und fragte Mutter, wie ich am besten nach Griesheim käme, aber auch sie war nie zuvor in Griesheim gewesen. Erst in der Straßenbahn erfuhr ich vom Schaffner, daß ich am Bahnhof in die Linie 14 umsteigen mußte. Die Linie 14 war eine ruhige Vorortbahn. Die Leute saßen still auf ihren Holzsitzen und hielten mit einer merkwürdigen Starre ihre Fahrscheine in den Händen. In den Kurven schwankten die Fahrgäste, die nur einen Stehplatz hatten ergattern können, elegant wie Schlingpflanzen hin und her. Griesheim war die Heimat von Tausenden von Arbeitern, die in einer nahen Chemiefabrik beschäftigt waren. Seit Minuten fuhr die Bahn an endlosen Reihen von dunkelroten bis schwarzen Backsteinhäuschen vorbei. In einem dieser Häuschen wohnte der Rentner Erich Wagenblaß. Der Schaffner rief: Nächster Halt Griesheim. Die Bahn drosselte ihr Tempo, ich machte mich zum Aussteigen bereit. Da rief ein Kind in den Wagen: Nächster Halt Grießbrei. Ringsum erhob sich Gelächter, das rasch abklang. Die Leute schauten hinaus auf das Einerlei von kleinen Häusern, Garagen und Nutzgärten. Es war, als würden sie erst in diesen Augenblicken merken, daß sie vielleicht wirklich in einem großen Grießbrei lebten. Wahrscheinlich war es deswegen totenstill, als die Bahn hielt und ein paar Leute ausstiegen. Das Häuschen des Ehepaares Wagenblaß mußte ich nicht lange suchen. Frau Wagenblaß öffnete mir die Haustür. Sie trug ein großgeblümtes Kleid von der Art, von der auch Mutter zwei hatte. Riesige blaue Blumen zogen sich über ebenso riesige Brüste hin und verschwanden undeutlich auf dem Rücken. Frau Wagenblaß gab mir die Hand und verbeugte sich wie eine Schülerin. Herr Wagenblaß trat seitlich aus einer Tür hervor und verbeugte sich ebenfalls. Über seine rechte Gesichtshälfte huschte ein Zucken. Frau Wagenblaß sagte: Mein Mann hat nur noch ein Drittel seines Magens, müssen Sie wissen. Ahh so, machte ich. Der Rentner führte mich in die Wohnstube. Es war ein niedriger, mäßig großer Raum, der gleichzeitig Küche und Wohnzimmer war. Frau Wagenblaß bat mich, Platz zu nehmen. Sie verließ den Raum und brachte Pflaumenkuchen und Kaffee herbei. Herr Wagenblaß zeigte auf einen etwa einen Meter hohen Eiffelturm, der tatsächlich ganz und gar aus Streichhölzern erbaut war. Das Modell war auf einem Schreibtisch abgestellt, dicht neben einem Fernsehapparat.

Ahh! machte ich anerkennend.

Dazu habe ich eintausendfünfhundert Arbeitsstunden benötigt, sagte Wagenblaß.

Ich notierte die Zahl.

Rund fünfzig Tuben Uhu sind dabei draufgegangen, sagte der Rentner.

Auch diese Zahl notierte ich.

Allerhand, sagte ich.

Jetzt raten Sie mal, sagte Wagenblaß, wieviel Streichhölzer ich für den Eiffelturm gebraucht habe.

Frau Wagenblaß sagte: Als nächstes wird er den Schiefen Turm von Pisa nachbauen.

Phantastisch, sagte ich.

Ein Kollege hat ihm hundert Mark geboten für den Eiffelturm, sagte Frau Wagenblaß.

Hundert Mark! wiederholte Wagenblaß halb empört.

So etwas gibt man doch nicht her, sagte Frau Wagenblaß, nicht einmal für tausend Mark!

Ich notierte treuherzig: Er verkauft den Eiffelturm nicht. Nicht einmal für tausend Mark. Die Ehefrau pflichtet ihm bei.

Was glauben Sie, wiederholte er, wieviel Streichhölzer habe ich für den Eiffelturm verwendet? Tausend? Zweitausend? Dreitausend?

Tausend vielleicht? fragte ich.

Ha! machte Wagenblaß; weit daneben! Schätzen Sie nochmal!

Sein Versuch, mit mir eine Art Fernsehquiz zu veranstalten, reizte meine Überheblichkeit. Ratlos sah ich Frau Wagenblaß an. Vielleicht würde sie mir helfen. Aber auch sie wartete auf meinen zweiten Versuch.

Haben Sie den Eiffelturm an Ort und Stelle studiert, oder haben Sie nach Abbildungen gearbeitet? fragte ich.

An Ort und Stelle?! sagte Wagenblaß.

Frau Wagenblaß kicherte.

Sie meinen, ob ich persönlich in Paris war?! Wagenblaß lachte. Wo denken Sie hin?! Auch als Rentner bleibt man sauber.

Nach dieser Antwort hörte ich auf, das Gefühl meiner Überheblichkeit zu bekämpfen. Ich hörte Wagenblaß nur noch mit einem Ohr zu. Seine schlichten Gedanken waren durchschaut, noch ehe er sie gedacht hatte. Wenig später klingelte es, Frau Wagenblaß öffnete die Wohnungstür. An seiner Stimme erkannte ich den Fotografen Hassert. Er hatte heute seinen Angebertag. Vier Kameras hingen neben- und übereinander vor seiner Brust. Hassert grüßte in die Runde und legte umständlich seine Kameras auf dem Tisch ab. Frau Wagenblaß war eingeschüchtert und räumte den Pflaumenkuchen weg. Hassert tat, als müßte er prüfen, welche Kamera für diesen Raum am besten geeignet war. Ich hatte nichts gegen das Getue des Fotografen einzuwenden, im Gegenteil. Seit Hassert im Raum war, fiel nicht mehr auf, daß ich keine weiteren Fragen stellte. Wagenblaß hielt das Fotografiertwerden für die Fortsetzung des Interviews. Er war völlig verblendet davon, daß gleich zwei Presseleute mit ihm beschäftigt waren. Um meine Überheblichkeit abzustillen, stellte ich mir Herrn Wagenblaß eine Weile als Hund vor. Wie schön wäre es gewesen, wenn in dieser Wohnung ein Hund gewohnt hätte, der mich mit seiner Hundefrau empfangen und mir dann den von ihm gebastelten Eiffelturm gezeigt hätte! Dann hätte ich meine Bewunderung gewiß nicht verhehlen können. Gemessen am Ungeschick eines Hundes wäre der Nachbau des Eiffelturms eine absolut staunenswerte Leistung gewesen, die sogar von der Weltpresse hätte beschrieben werden müssen. Herr Wagenblaß, fragte ich leise in mir, warum sind Sie kein Hund geworden? Dann wären Sie berühmt, in aller Welt! Die Hundephantasie vertrieb immerhin meine schlechte Laune. Ich sah jetzt dabei zu, wie Hassert den Rentner und seinen Eiffelturm postierte und dann fotografierte. Mal mit Ehefrau, mal ohne, mal mit Zündhölzern, mal ohne. Ich nahm mir vor, die Einzelheiten des Raumes nicht zu genau zu betrachten. Der Anblick des Tropfenfängers an der Kaffeekanne verursachte mir Übelkeit. Es war ein ekliger Gummipfropfen, der mit zwei Flitschen am Griff der Kanne befestigt war. Wenn mir der Ekel zu nahe kam, flüchtete ich schnell zu meiner Hundephantasie. Gerade flüsterte ich Herrn Wagenblaß zu: Wenn Sie ein Hund wären, wüßten Sie nicht, was ein Tropfenfänger ist. Ich wartete ruhig, bis Hassert fertig war. Frau Wagenblaß forderte uns auf, Kaffee zu trinken und Pflaumenkuchen zu essen, aber Hassert und ich spielten ihr die Nummer GEHETZTE REPORTER vor, gegen die sie machtlos war. Nach etwa einer Viertelstunde hatte der Fotograf die Bilder im Kasten, wir verabschiedeten uns. Hassert nahm mich im Auto mit, wofür ich dankbar war.

Gegen 12.30 Uhr traf ich in der Redaktion ein. Herrdegen wollte über den Streichholzbastler vierzig Zeilen. Der Eiffelturm von Herrn Wagenblaß war mein letzter Auftrag während der Urlaubsvertretung. Am Wochenende würde ich noch einmal Sonntagsdienst machen, am darauffolgenden Montag würde ich wieder Lehrling sein, jedenfalls zunächst. Statt mich einer Entscheidung zu nähern, ob ich Herrdegens Angebot annehmen sollte oder nicht, hatte ich immer öfter Schweißausbrüche. Ich gestand mir ein, daß meine anfängliche Begeisterung für die Zeitungsarbeit stark gelitten hatte. Prompt fürchtete ich mich davor, daß die Armseligkeit des Bastlerlebens, indem ich sie beschrieb und gleichzeitig verheimlichte, zur Armseligkeit meines eigenen Lebens wurde. Zum ersten Mal saß ich längere Zeit vor einem leeren Blatt und fand keinen ersten Satz. Aus Not flüchtete ich noch einmal zu meiner Hundephantasie. Der Hund Wagenblaß aus Grießbrei hat mit siebeneinhalb Streichhölzern ein erstklassiges Hundedenkmal gebaut. Weitere hündische Sätze fielen mir nicht ein. Angst beschlich mich, daß ich die Freude am Schreiben verloren haben könnte. Fräulein Weber erschien in meinem Zimmer und wies mich mit zwei niedlichen Sätzen auf viele neue Sommersprossen auf ihrer Nase hin. Wieder beschuldigte ich mich der Überheblichkeit. Ich stand auf und schaute im Duden nach, was dort unter Hochmut zu finden war. Ich las: Hochmut, Eingebildetheit, Dünkel, Arroganz; ich dünke mich, ich habe eine hohe Meinung von mir, ich halte mich dafür. Ich setzte mich wieder vor das leere Blatt. Eine hoffnungslose Stimmung kam über mich. Ich war doch erst achtzehn Jahre alt! Und hatte schon einen solchen Riß im Denken! Ein Weiterleben mit dem Riß des Hochmuts schien mir unmöglich. Wenig später erinnerte ich mich an die tote Linda. In der Leere meines überheblichen Schädels entdeckte ich eine Schmerzbrücke zwischen dem Streichholzbastler und ihr. Mir fiel ein, daß Linda während des Je-ka-mi-Abends stark geraucht hatte und daß sie die abgebrannten Zündhölzer in die Zündholzschachtel zurückgesteckt hatte. Das Einschieben der gebrauchten Zündhölzer wurde zur letzten Erinnerung. Nein, es kam noch eine allerletzte dazu: In den Augenblicken, als ich ihre schwärzlich angekokelten Fingerspitzen sah, hatte ich mir gewünscht, Linda möge mich umarmen und mein Hemd beschmutzen, so daß ich mindestens bis zum nächsten Morgen ein Zeichen ihrer vorgestellten Heftigkeit hätte. Jetzt konnte ich den Artikel über den Streichholzbastler erst recht nicht schreiben. Ich nahm Wagenblaß übel, daß ausgerechnet er mich an Linda erinnert hatte. Die Buchhaltung rief an und sagte, daß meine Abrechnung fertig sei. Ich war dankbar für die Unterbrechung und ging zur Kasse ins Erdgeschoß. Für meine redaktionelle Arbeit während der Urlaubsvertretung erhielt ich eine Pauschale von 600,– Mark in bar. Das Zeilenhonorar für die Artikel, die ich in den letzten drei Wochen geschrieben hatte, wurde extra verrechnet und einen halben Monat später auf mein Konto überwiesen. Ich blieb eine Weile im Kassenraum sitzen und gewöhnte mich an das Geld in meiner Brieftasche. Zu meiner neuen Situation gehörte offenbar, daß ich jederzeit von einem Schmerz überfallen werden konnte. Es war kein wuchtiger Schmerz, der mich hätte umwerfen können, sondern ein schwächlicher, vager Schmerz, der sich wie ein Belag auf das Leben senkte. Aus Langeweile las ich den Spielplan des Stadttheaters, der im Kassenraum aushing. Die Titel der meisten Stücke und Opern, die hier angekündigt waren, hatte ich nie zuvor gehört oder gelesen. Morgen, am Samstag abend, wurde ein Stück mit dem Titel ›Blick zurück im Zorn‹ von John Osborne gespielt. Ich kannte weder Stück noch Autor, aber der Titel gefiel mir. Ich beschloß, morgen abend ins Theater zu gehen. Der Kassier packte ein Wurstbrot aus und verzehrte es mit langsamen Bewegungen. Ich hörte es gern, wenn er mit dem Handrücken über seine Bartstoppeln fuhr. Der Beschluß, am Samstag abend ins Theater zu gehen, erleichterte mich. Nach ein paar Minuten ging ich in mein Zimmer zurück und setzte mich erneut vor die Schreibmaschine. In absolut arroganter, dünkelhafter Schnelligkeit hämmerte ich vierzig Zeilen über Erich Wagenblaß in die Maschine.

Am Samstag abend kaufte ich mir für zwölf Mark eine Eintrittskarte für das Stadttheater. Ich saß in der zweiten Reihe, fast in der Mitte. Das Stück ›Blick zurück im Zorn‹ begeisterte mich von der ersten Minute an. Jimmy Porter, die Hauptfigur, redete gegen die Dummheit und Trägheit der Leute und wurde dabei bitter und wütend. Dabei sagte Jimmy Porter nichts Neues, im Gegenteil. Mehr als die Hälfte seiner Sätze hatte ich selbst schon gedacht oder gesagt, viele von ihnen mehrmals. Aber weil das Oftgesagte auf einer Bühne ausgesprochen wurde, erschien es wieder neuartig und sogar alarmierend. Die Zuschauer sahen sich untereinander beglückt in die Augen. Sie waren erregt darüber, daß ihnen ein Theaterstück half, sich endlich für die Probleme zu interessieren, von denen sie sich im wirklichen Leben nur gelangweilt fühlten. Es war, als sei das Theater ein Ort, an dem sich die Menschen eingestehen durften, daß sie das Leben oft nicht verstanden, es nicht einmal hinreichend überblickten. Diese stummen Geständnisse der Zuschauer gefielen mir fast noch besser als das Stück. Von mir aus hätte Jimmy Porter zwei oder drei Stunden lang ohne Unterbrechung weiterschimpfen können. Aber leider gab es nach dem zweiten Akt eine Pause von fast zwanzig Minuten. Die durch ihre Geständnisse festlich gestimmten Zuschauer verliefen sich im Foyer und nickten sich freundlich zu. Ich kaufte mir ein Glas Sekt und betrachtete die Frauen, die an der Seite ihrer Männer standen und lächelten oder bedeutsam schwiegen. Wieder gefiel es mir nicht, daß ich allein war. Es gab auch junge Mädchen, die allein im Theater waren. Eines von ihnen hätte ich fast angesprochen. Aber kurz zuvor trat ein junger Mann aus dem Hintergrund hervor und führte das Mädchen weg. Plötzlich erkannte ich unter den vielen dunkel gekleideten Herren den Prokuristen der Lehrfirma, an seiner Seite eine ältere Frau und ein junges Mädchen. Auch er erkannte mich, er nickte erfreut und überrascht und kam auf mich zu.

Herr Weigand! rief er.

Ich gab ihm die Hand und verbeugte mich.

Darf ich Ihnen meine Frau und meine Tochter Ingrid vorstellen?

Ich begrüßte Frau und Tochter. Die Tochter hatte eine feuchte kleine Hand, die mir gut gefiel. Der Prokurist nannte mich einen aufstrebenden jungen Mann, worüber ich nicht lachen mußte.

Stellen Sie sich vor, sagte er, meine Tochter ist heute zum ersten Mal im Theater!

Oh! machte ich. Und, sagte ich, zur Tochter gewandt, gefällt Ihnen das Stück?

Sie verzog kurz den Mund, brachte jedoch kein Wort hervor.

Wie hat Ihnen der Urlaub gefallen? fragte der Prokurist.

Oh, sehr gut, sagte ich.

Wo waren Sie denn? fragte er.

In Schweden, sagte ich.

Sehen Sie, rief der Prokurist, genau so habe ich Sie eingeschätzt! Alle Welt rennt nach Italien, aber Sie fahren nach Schweden.

Endlich lächelte die Tochter.

Und hatten Sie gutes Wetter? fragte der Prokurist.

Sehr gemischt, sagte ich, wie das in Schweden eben so ist.

Aber gelangweilt haben Sie sich nicht?

Überhaupt nicht, sagte ich; wenn es regnete, habe ich mich in meine Waldhütte gelegt und gelesen.

Genau wie unsere Ingrid! stieß der Prokurist hervor.

Ich wunderte mich, wie leicht mir eine erfundene Urlaubsgeschichte von den Lippen ging und wie problemlos sie mir geglaubt wurde. Eigentlich wollte ich Ingrid fragen, welche Bücher sie schätzte, aber jetzt erzählte ihr Vater, daß Ingrid im vorigen Jahr sogar auf die Besichtigung der Gärten auf Capri verzichtet hatte, um allein im Ferienappartement lesen zu können.

Wie finden Sie das! sagte der Prokurist.

Es war Ingrid sichtbar nicht recht, daß ihr Vater ihre persönlichen Urlaubsgeschichten preisgab. Sie brachte ein minimal verächtliches Lächeln zustande, das mich momentweise beeindruckte. Die Entdeckung ihres Unbehagens durch mich stiftete zwischen ihr und mir den Anflug einer Privatheit, von der der Vater nichts merkte. Ingrid gefiel mir. Ich litt bereits ein bißchen, weil ich mir vorstellte, ich würde wegen der Überpräsenz ihres Vaters nicht an sie herankommen können. Ingrid trug ein dunkles Taftkleid und halbhohe schwarze Schuhe. Sie hatte ein schmales, blasses Gesicht mit starken Augenbrauen und kleinen Ohren. Einmal öffnete sie ihr kleines Täschchen. Ich sah, daß nichts weiter darin war als ein weißes Taschentuch und ein winziger Spiegel. So stellte ich mir eine Studentin vor, die sich mit der Transzendenz des Ego und solchen Sachen beschäftigte. Ich hatte (wenn ich von Linda einmal absah) bis zu diesem Zeitpunkt nur ein paar Sekretärinnen und Verkäuferinnen kennengelernt, weil leicht an sie heranzukommen war. Es genügte, sich am Abend ein paarmal vor ein Schaufenster zu stellen und einer der Verkäuferinnen im Inneren des Geschäftes beim Arbeiten zuzuschauen. Die meisten Mädchen erkannten schnell, daß die Blicke ihnen galten, und viele von ihnen schauten interessiert zurück. Danach genügte es, eine oder zwei Wochen später nach Feierabend am Angestelltenausgang zu warten und eines der Mädchen anzusprechen. Viele ließen sich gerne nach Hause begleiten und wiesen den Wunsch nach einer Verabredung nicht zurück. Auf diese Weise hatte ich, teilweise noch als Schüler, eine Pelzverkäuferin, eine Drogistin und eine Schuhverkäuferin kennengelernt. Allerdings ging mein Interesse an diesen Mädchen genauso schnell zurück, wie es entstanden war. Oft war ich froh, wenn wir an der Haustür angelangt waren und ich mich verabschieden durfte. Jetzt war eine neue Situation eingetreten. Ich stand noch immer unmittelbar vor Ingrid und konnte mich doch nicht mit ihr verabreden, weil ihr Vater mein Vorgesetzter war. Es kam noch schlimmer. Der Pausengong ertönte, der Prokurist faßte Frau und Tochter an den Armen und führte sie zurück in den Zuschauerraum. Von Ingrid hatte ich nicht das kleinste Anzeichen dafür erhalten, ob sie eine Annäherung von mir wünschte oder nicht.

Am Montag morgen bildete ich mir ein, daß unser zufälliges Zusammentreffen im Theater die Art des Kontakts zwischen dem Prokuristen und mir verändert hatte. Ich glaubte, nachdem der Prokurist mir ein paar Familienanekdoten erzählt hatte, könnte er mich nicht mehr mit seiner Schreibtischklingel zu sich rufen. Aber ich hatte mich geirrt. Kurz nach neun Uhr (Frau Dieterle aus der Buchhaltung erklärte mir gerade die Hollerith-Maschinen) hörte ich die Klingel. Auch Frau Dieterle war darüber verärgert. Trotzdem mußte ich sie stehenlassen und ins Zimmer des Prokuristen eilen. Der Prokurist zupfte sich an der Nasenspitze und bat mich, Platz zu nehmen. Immerhin, das war neu. Bis zu diesem Tag hatte ich mir seine Mitteilungen im Stehen anzuhören.

Wir brauchen Sie in Halle B, sagte der Prokurist, aber nicht mehr am Sackkarren, sondern als Vorarbeiter. Sie werden in Zukunft, zusammen mit den Vorarbeitern Tenbrink, Kaindl und Steinbrenner, den gesamten Verladebetrieb leiten. Sie wissen ja schon ungefähr, wie das geht.

Ich nickte.

Sie besorgen sich frühmorgens die Ladelisten, dann gehen Sie in die Arbeiterkantine und holen sich die Leute, die Sie zum Entladen brauchen. Ihre Hauptaufgabe ist: Sie müssen feststellen, ob sich die Sachen auf den Ladelisten auch tatsächlich in den Waggons befinden. Und Sie müssen den Arbeitern sagen, in welche Halle und auf welchem Platz sie das Stückgut abstellen sollen. Das ist alles. Das haben Sie alles schon hundertmal gemacht.

Stimmt, sagte ich.

Am besten ist, Sie verständigen sich jeden Abend mit Herrn Graf darüber, wieviel Waggons am nächsten Morgen hereinkommen. Dann können Sie abschätzen, wieviel Leute Sie brauchen werden.

Ja, sagte ich.

Jetzt kommt etwas Neues, passen Sie auf. Immer mal wieder haben wir zuwenig Verladearbeiter. Wenn Sie abends das Gefühl haben, daß am nächsten Morgen zuwenig Arbeiter dasein werden, gehen Sie morgens um acht zur Außenstelle des Arbeitsamtes im Osthafen. Dort sitzen jeden Morgen eine Menge Tagelöhner herum. Unter ihnen wählen Sie die Leute aus, die Sie haben wollen. Können Sie das?

Ich hab's noch nie gemacht, sagte ich.

Sie haben auf zwei Dinge zu achten, sagte der Prokurist. Erstens müssen die Männer jung und kräftig sein. Zweitens dürfen sie nicht angetrunken sein. Sie können das ganz leicht feststellen. Nähern Sie sich kurz den Gesichtern, dann wissen Sie Bescheid. Sie riechen es, verstehen Sie?

Ja, sagte ich.

Sie brauchen mit den Männern nicht zu verhandeln. Es sind Tagelöhner. Wenn Sie jemanden haben wollen, drükken Sie ihm ein Blatt Papier in die Hand, auf dem unsere Adresse steht und die Höhe das Stundenlohns. Die Papiere kriegen Sie von mir. Wenn ein Tagelöhner mitgeht, muß er das Papier unterschreiben und es Ihnen zurückgeben. Das ist alles. Morgen früh werde ich die Arbeiter aussuchen. Ich möchte, daß Sie mitgehen. Ich will Sie mit den Einzelheiten vertraut machen und Ihnen den Chef der Außenstelle vorstellen. Am besten ist, Sie kommen morgen früh eine halbe Stunde eher. Dann fahren wir zusammen los.

Der Prokurist erhob sich und preßte die Lippen zusammen. Ich verstand, die Unterweisung war beendet, der Prokurist hatte wenig Zeit. Am folgenden Morgen erschien ich pünktlich um halb acht im Büro. Der Prokurist saß schon im Auto und ließ mich einsteigen. Er fuhr sofort los.

Für die Entladung eines Waggons brauchen Sie ungefähr zwei Stunden, manchmal zweieinhalb, je nachdem, wie schwer oder sperrig die einzelnen Stücke sind. Achten Sie darauf, daß Sie immer zuwenig Leute haben, niemals zuviel. Es darf nicht vorkommen, daß Arbeiter untätig herumstehen, sagte der Prokurist.

Ich hörte zu. Die Nähe des Prokuristen machte mir Beklemmungen. Ich kurbelte die Fensterscheibe ein bißchen herunter und beobachtete die Amseln. Ihre Frühschluchzer drangen aus den Büschen hervor und verklangen zwischen geparkten Autos. Ich wünschte mir, daß der Prokurist über seine Theatereindrücke redete. Dann hätte ich vielleicht nach Ingrid fragen können. Aber der Prokurist mied das Thema Theater. Auf einem Bahndamm rangierte eine Lok. Unter einer Eisenbahnbrücke standen ein paar Männer. Sie hielten kleine Bündel unter den Armen und rauchten. Etwa zweihundert Meter nach der Eisenbahnbrücke hielt der Prokurist das Auto an.

Das ist die Außenstelle, sagte er und zeigte auf ein zementfarbenes, zweistöckiges Gebäude. Je später Sie kommen, desto schlechter ist die Auswahl, sagte der Prokurist.

Wir stiegen aus und betraten den Seiteneingang der Außenstelle. Linker Hand stand eine Tür offen, hier war das Büro des Chefs. Es war ein kleiner fensterloser Raum, in dem sich außer dem Chef niemand aufhielt. Der Prokurist stellte mich vor und sagte: Der junge Mann wird künftig öfter Leute bei Ihnen holen. Der Chef erhob sich hinter seinem Schreibtisch.

Die Männer, die Sie nehmen, sagte der Chef, brauchen einen Personalausweis und einen Sozialversicherungsausweis. Wenn sie das nicht haben, dürfen sie nicht arbeiten. Notieren Sie sich die Namen der Arbeiter, für die Sie sich entscheiden, und geben Sie mir hinterher den Zettel mit den Namen, dann weiß ich Bescheid.

Wir verließen das Büro des Chefs und gelangten durch einen unbeleuchteten Flur in eine kleine Halle. Zwischen dreißig und vierzig halb zerlumpte, trübe blickende Männer saßen ringsum auf den Wartebänken. Ich erschrak. Erst kürzlich hatte ich Dostojewskis »Aufzeichnungen aus einem Totenhaus« gelesen. Augenblicklich war ich überzeugt, mich in diesem Totenhaus zu befinden. Ein Zucken und Aufschauen und Erschrecken ging durch die Körper der Männer. Der Prokurist ging gezielt auf die jüngeren und kräftigeren Männer zu. Ich hielt mich knapp hinter ihm und schaute überall dort hin, wo er hinschaute. Viele der Tagelöhner hatten eine offene Bierflasche in der Hand. Auch andere Chefs und Unternehmer suchten hier nach Arbeitern. Manche streckten nur den Zeigefinger. Dann erhob sich ein Mann und ging auf den Zeigefinger zu. Nach zehn Sekunden war die Einstellung beendet. In meiner Nähe klagte ein Arbeiter über sein kaputtes Knie. Er redete über schmerzhafte Gefühle beim Gehen. In seinem oberhessischen Dialekt sprach er das Wort Gefühl jedesmal wie Gefäul aus, was mir gut gefiel. Der Prokurist ließ sich von zwei Männern die Ausweise zeigen, sie waren in Ordnung.

Sie müssen auch nachprüfen, sagte der Prokurist zu mir, ob die Personalausweise noch gültig sind.

Drei weitere Männer zogen unaufgefordert ihre Ausweise hervor und zeigten sie dem Prokuristen. Ich konnte den Gestank in der Tagelöhnerhalle kaum noch ertragen. Der Prokurist wies die drei Männer an mich. Ich sah zuerst in ihre Gesichter und dann in ihre Personalausweise.

Die Ausweise sind o.k., sagte ich.

Der Prokurist übergab den Männern die Stundenlohn-Vereinbarung.

Ich lieh ihnen einen Kugelschreiber, die Männer unterschrieben die Papiere. Dann machte einer der Tagelöhner einen Fehler. Er hielt sich die Vereinbarung zu nah vor die Augen. Das bedeutete, daß er schlecht sah. Schon zog ihm der Prokurist die Vereinbarung wieder aus den Händen und zerriß sie vor seinen schlechten Augen. Der Prokurist entschied sich rasch für einen anderen Tagelöhner. Er notierte sich die Namen der von ihm und mir ausgewählten Arbeiter und sagte ihnen, daß sie sich Punkt 9.00 Uhr in der Halle B bei mir melden sollten.

Kurz vor 9.00 Uhr, als die Männer vor mir standen, waren sie noch schüchterner als in der Wartehalle. Drei von ihnen nahm ich selber für die Entladung eines Waggons aus Nürnberg, in dem sich Fernsehgeräte befanden. Aus drei weiteren Arbeitern stellte ich eine neue Kolonne zusammen und übergab sie dem Vorarbeiter Kaindl. Die restlichen drei Männer teilte ich schwächeren Kolonnen als Verstärkung zu. Die Tagelöhner waren gut bei Kräften und arbeiteten zügig. Gegen 11.00 Uhr war der Nürnberger Waggon entladen. Ich war jetzt eine Art Oberarbeiter oder Chefarbeiter oder Arbeiterchef geworden. Schon auf der Rückfahrt ins Büro hatte mir der Prokurist eine beträchtliche Erhöhung meiner Bezüge angekündigt. Sie sind zwar Lehrling, aber ich bezahle Sie wie einen Vorarbeiter, hatte er gesagt. Die entscheidendere Veränderung betraf die Arbeit selber. Seit Montag war ich davon befreit, mich selbst körperlich verausgaben zu müssen. Ich stand jetzt mit einem Bleistift in der Hand an den geöffneten Schiebetüren der Waggons und dirigierte die Arbeit der anderen. Seit Montag verließ ich die Firma nicht mehr so erschöpft und staubig wie in den Monaten zuvor. Am Donnerstag sollte ich zum ersten Mal *allein* in die Außenstelle des Arbeitsamtes fahren und dort acht Tagelöhner auswählen. Ich stellte mir vor, daß der Mann mit dem gelblichen Brillengestell, der wegen mangelnder Sehkraft nicht ausgewählt worden war, dann wieder in der Wartehalle sitzen würde. Ich überlegte, ob ich ihn doch mitnehmen und ihn vor dem Prokuristen verheimlichen sollte. Der Prokurist erschien nicht in den Hallen, um meine Arbeit zu kontrollieren. Allerdings schaute er zuweilen von seinem Bürofenster herunter auf die Laderampen, auf denen die Arbeiter mit den Sackkarren hin- und hergingen. Vermutlich hatte ich keine Wahl, ich mußte junge und gesunde Männer nehmen. Ich wurde wieder wankelmütig. Obwohl ich schon fast entschlossen war, Herrdegens Angebot abzulehnen, wurde ich erneut unsicher. Es drängte mich nicht, ein elender Arbeiter zu sein, der noch elendere Arbeiter für brauchbar oder nicht brauchbar befand. Es verlangte mich aber auch nicht danach, beim Tagesanzeiger mehr und mehr zu verdünkeln und am Ende in meinem eigenen Hochmut unterzugehen. Ich nahm mir vor, nach Feierabend in aller Ruhe über mein Problem nachzudenken. Ich durchquerte die Stadt und geriet in die Nähe des Flußufers. Hier, dachte ich, kannst du dein Problem ungestört auseinandernehmen und dann eine Entscheidung treffen. Ich sah auf den Fluß und dachte nach, aber es kam nicht viel dabei heraus. Ich wiederholte immer nur, was ich nicht wollte. War das schon nachdenken? Die nicht nachlassende Befragung meines Lebens machte mich nur frühzeitig müde. Auch diese Müdigkeit verstand ich nicht. Du bist doch erst achtzehn, fragte ich mich, warum bist du so müde? Gab es eine Krankheit namens Jugenderschöpfung, die ich soeben kennenlernte? Ich wußte nicht, was ich immerzu bedenken sollte. Genau das hätte ich bedenken sollen. Einmal lenkte mich ein Mann ab, der sein Fahrrad ins Wasser warf. Ich überlegte kurz, ob der Mann nur wütend war oder ob er das Fahrrad gestohlen hatte und es jetzt wieder loswerden wollte. Das Fahrrad ging sofort unter, der Mann eilte zurück in die Stadt. Ein Frachtschiff kam näher. Es war ein langer, schwarzgestrichener Schlepper, der langsam flußaufwärts bollerte. Aus jeder Ladeluke ragte die Spitze eines Kohlehaufens heraus. Ein kleiner Hund saß in der Nähe des Führerhauses und bellte zum Ufer herüber. Eine junge Frau rückte neben einem Kinderwagen einen Stuhl zurecht. Die Frau griff mit beiden Händen in den Kinderwagen und holte einen Säugling heraus. Sie öffnete sich die Bluse und legte sich das Kind an die Brust. Als das Schiff an mir vorübertuckerte, konnte ich sehen, wie die Frau zwischen Zeigefinger und Mittelfinger ihre Brust hielt. Beide Finger bildeten zusammen eine geöffnete Schere, die die Brust steuerte und sie dem Kind so hinhielt, daß das Saugen leichtfiel. Das Bild des weißen Kindskopfes und der weißen Brust genau neben einem schwarzen Kohlehaufen war zum Niedersinken. Es ergriff mich eine erhabene Stimmung, die ich nicht abwehrte. Schon war das Schiff vorüber. Von der stillenden Frau sah ich nur noch den nach vorne gebeugten Oberkörper. Ich merkte, daß das gequälte Gefühl in mir langsam verschwand. Außer einem Schülerliebespaar war hier niemand. An der Ufermauer standen ein paar fahle, schon abgeblühte Sonnenblumen. Ich stapfte zwischen Butterblumen, Hasenklee und Springkraut umher und betrachtete das Leben der Kleintiere. Zitronenfalter und Kohlweißlinge ließen sich auf Taubnesseln und Löwenzahn nieder, kleine rote Käfer kämpften sich an den haarigen Stengeln von Brennesselsträuchern in die Höhe. Sogar Libellen mit hellblauen Flügeln, offenbar vom

Wasser angezogen, flitzten umher. Winzigen Eidechsen gelang es, mich weiter von meinem Problem abzubringen. Die Eidechsen kletterten auf erhitzten Steinen umher. Es war leicht, nahe an sie heranzukommen. Es entzückte mich die Art, wie sie ihr kleines Maul aufklappten und langsam kauten. Am Halsende ihres Unterkiefers beobachtete ich ein gerade noch erkennbares Pulsieren, ein stetiges Auf und Ab eines schillernden Hautflecks. Das friedliche Beieinander von Pflanzen, Tieren und Menschen erinnerte mich an den Religionsunterricht in der Grundschule. Ein Buch mit schönen Geschichten sollte uns damals helfen, Gott und das Paradies zu begreifen. In diesem Buch gab es wunderbare Zeichnungen über das Zusammensein von Tieren und Menschen. Besonders diese Zeichnungen gefielen mir sehr, über viele Jahre hin betrachtete ich sie immer wieder. Riesige Löwen lagen ausgeruht neben Familien im Gras. Schöne Rehe streiften vorüber und schauten jungen Mädchen beim Kämmen zu. Leoparden machten zusammen mit bedächtigen Greisen ein Picknick. Ein Eisbär beugte sich über einen Säugling und zerriß ihn nicht. In den Texten zu den Bildern hieß es, daß es einen so vollkommenen Frieden zwischen allen Lebewesen erst geben werde, wenn das Reich Gottes angebrochen sei. Obwohl ich als Achtjähriger nicht wußte, was das Reich Gottes sein sollte, glaubte ich an die Bilder. Ich fing an, von Zeit zu Zeit an das Flußufer zu gehen und nachzuschauen, ob das Reich Gottes schon angebrochen sei. Aber jedesmal, wenn ich hierherkam, sah ich entweder gar nichts oder nur ein paar ältere Jungs, die mit Schleudern auf Spatzen schossen oder Strohhalme in die Bäuche von Fröschen stießen, um sie aufzublasen, bis sie irgendwann platzten. Das sah nicht nach Frieden aus, im Gegenteil, das war der gewöhnliche Krieg, den ich schon lange kannte. Plötzlich hörte ich das Motorengeräusch eines anderen Schiffes. Es war ein Vergnügungsdampfer, der langsam flußaufwärts fuhr. Er war vollbesetzt mit Tagesausflüglern, von denen mir einige zuwinkten. Ein paar Sekunden lang genierte ich mich, dann winkte ich zurück. Die Menschen saßen dichtgedrängt auf dem offenen Deck. Das Bild war so stark wie der endlich ausgebrochene Gottesfriede. Ich winkte und winkte und überlegte, warum das Vorüberziehen eines mit Menschen vollbeladenen Schiffes schön war. Die Schönheit ging entweder aus der *gleichmäßigen Bewegung* hervor, mit der das Schiff dahinglitt. Oder sie entflatterte aus den *bunten Fähnchen* über den Köpfen der Passagiere. Sie konnte freilich auch den *sanften Wellen* entspringen, die sich rechts und links des Bugs aufwarfen und still zu den Ufern hin entkamen. Es war auch möglich, daß sie aus dem *weich bollernden Motorengeräusch* hervorging. Der fünfte Grund beeindruckte mich am tiefsten. Danach war die Schönheit eine Art Gemeinschaftswerk der Passagiere. Sie entstieg der *ruhigen Freude* derer, die ohne Eile ihre Zeit vergeudeten. Ich winkte den Fahrgästen immer noch, jetzt mit dem Entzücken von jemand, der über die Gründe der Schönheit gut Bescheid zu wissen schien. Als das Schiff schon fast vorübergezogen war, sprang der Wunsch nach souveräner Zeitverschwendung auf mein eigenes Empfinden über. Ich hatte ein inneres Erlebnis, für das ich keine Worte hatte. Die Eingebung war stark, weil sie zum richtigen Zeitpunkt eintraf: Ich durfte mich zu meinem Leben als ein Lauschender verhalten. Ich durfte so lange in die Wirklichkeit hineinhören und hineinsehen, wie ich nur wollte. Beim Belauschen der Dinge und Ereignisse wurde ich nicht hochmütig. Aus Dankbarkeit ging ich eine Weile neben dem Schiff her. Ein paar Kinder auf dem hinteren

Deck lachten über den Mann, der auf dem Uferweg neben dem Schiff herlief wie neben einer Straßenbahn. Ich nahm mir vor, bei nächster Gelegenheit eine kleine Erzählung über mein Erlebnis zu schreiben. Erst das dichter werdende Uferschilf hielt mich davon ab, weiter neben dem Schiff herzugehen. Ich drehte um und ging stadteinwärts. Ich dachte, du brauchst eine Frau, eine Wohnung, einen Roman. Auf der Rückseite eines Briefumschlags notierte ich mir die fünf Gründe, warum ein vorüberfahrendes Schiff schön war. Plötzlich war meine Entscheidung gefallen. Ich beschloß, meine Situation vorläufig nicht zu ändern. Ich würde das Angebot von Herrdegen nicht annehmen. Ich wollte weiterhin Feierabendreporter, mißbrauchter Lehrling und gut bezahlter Vorarbeiter sein. Eines Tages würde ich genauer wissen, was ich zu tun hatte und was nicht. Bis dahin mußte ich die Kühnheit haben, meine Zeit zu vergeuden und mich selber in der vergehenden Zeit zu belauschen.

Seit ich Vorarbeiter geworden war, ließ mich der Prokurist in Ruhe. Es beobachtete mich niemand mehr. Wenn ein Waggon entladen oder beladen war, verkroch ich mich eine Weile hinter Kisten und Kartons und sann den Bildern nach, die ich gesehen hatte. Ich mußte nicht (wie im Büro) so tun, als sei ich in jedem Augenblick beschäftigt. Die Anwerbung von Tagelöhnern verlor ihren Schrecken. Meistens gelang es mir, die Melancholie des Auswählens zu umgehen. Ich betrat den Wartesaal der Tagelöhner und sagte zu den erstbesten Männern, wo sie zu erscheinen hatten. In weniger als zwei Minuten waren die Anwerbungen beendet. Ich gewöhnte mich an die Vorgänge wie an das Bild einer Katze, die eines Morgens in Halle A erschien. Jemand hatte dem Tier die Ohren abgeschnitten. Die Arbeiter liefen davon, als sie die Katze zum ersten Mal sahen. Aber dann erschien die Katze jeden Morgen, und die Arbeiter wandten sich nicht mehr ab. Ein Gabelstaplerfahrer stellte ein Schälchen Milch hin, die Katze trank, und die Arbeiter vergaßen, daß die Katze einmal Ohren gehabt hatte.

8

Eine knappe Woche später machte ich mich in der Mittagspause auf dem Weg zum Tagesanzeiger, um Herrdegen meinen Entschluß mitzuteilen. Inzwischen war Hochsommer geworden. Auf der Straße herumliegende Lindenblüten rochen ein wenig faulig, fast wie stehengebliebener Senf. Es war wenig Verkehr, ein Teil der Geschäfte hatte wegen Urlaubs geschlossen. In der gesamten Redaktionsetage waren die Fenster geöffnet. Deswegen konnte ich schon auf der Straße Herrdegens Schreibmaschinengeklapper hören. Die Hitze hatte die gebohnerten Holzböden in der Redaktion ein wenig schlierig, fast glitschig gemacht. Die in den Faszikeln abgehefteten Zeitungen rochen säuerlich. Fräulein Weber war in der Mittagspause. Ich durchquerte das Sekretariat und klopfte bei Herrdegen.

Ich störe Sie nicht lange, sagte ich.

Herrdegen unterbrach das Tippen.

Sie stören nicht, sagte er; bringen Sie mir was?

Heute nicht, sagte ich.

Sie wollen mir sagen, daß Sie zu uns kommen werden, sagte Herrdegen.

Ja, sagte ich, das heißt nein.

Herrdegen sah mich an.

Also noch einmal, sagte er, wollen Sie bei uns Volontär werden oder nicht.

Während er redete, tippte er zwischendurch ein paar Sätze, was mich immer noch beeindruckte.

Sie wollen nicht zu uns kommen, sagte er dann. Sie wollen Ihr Studium beenden.

So ist es, sagte ich, ich hoffe, Sie haben Verständnis.

Aber ja, machte Herrdegen; wie lange brauchen Sie noch?

Drei Jahre mindestens, sagte ich.

Der Tagesanzeiger läuft Ihnen nicht davon, sagte Herrdegen.

Das ist gut zu wissen, sagte ich und wunderte mich über meine Gestelztheit. Ich würde gerne als freier Mitarbeiter weiter für Sie schreiben, abends und am Wochenende, so wie zuvor.

Hier hab ich was für Sie, sagte Herrdegen und zog aus der Terminmappe einen Einladungsbrief hervor. Am Samstag morgen wird eine Minigolf-Anlage eingeweiht. Wollen Sie das machen?

Gerne, sagte ich und nahm die Einladung.

Bitte dreißig Zeilen, sagte Herrdegen.

Keine mehr und keine weniger, antwortete ich mit einer Spur Zynismus in der Stimme, die Herrdegen bemerkte und sofort überging. Er spannte ein neues Blatt Papier in seine Schreibmaschine. Das war das Zeichen, daß das Gespräch beendet war. Im Treppenhaus ärgerte ich mich über meinen Hochmut. Herrdegen hatte es nicht verdient, daß ich ihm gegenüber zynisch wurde. Die Vorstellung, daß der Tagesanzeiger ohne mich auskommen mußte, machte mich ein bißchen zufrieden. Sofort empfand ich die Merkwürdigkeit dieses Glücks. Ich trug es ein bißchen mit mir herum, bis es an seiner eigenen Schwerverständlichkeit zugrunde ging.

Die Minigolf-Anlage lag im Eingangsbereich eines Freibads, das erst im vorigen Jahr eröffnet worden war. Die Sonne schien, eine kleine Kapelle spielte, von allen Seiten strömten die Leute herbei. Der Bürgermeister für

Sport und Soziales zupfte an seinem Anzug, gleich würde er ein paar Worte sagen. Von der Lokalpresse war außer mir nur Frau Finkbeiner von der Allgemeinen Zeitung und Frau Zimmerling von der Volkszeitung da. Wir begrüßten uns und stellten uns in die Nähe des neuen Kassenhäuschens. Eine junge Dame von der Stadtverwaltung erschien mit einem Tablett und bot Käsehäppchen mit Oliven und Radieschen an. Der Bürgermeister beglückwünschte die Stadt und ihre Einwohner. Ich hörte kaum hin. Ereignisse dieser Art konnte ich inzwischen in einer Art Halbaufmerksamkeit beobachten, festhalten und gleichzeitig vergessen. Mit Frau Finkbeiner zusammen machte ich mich ein bißchen über die Freizeitmenschen lustig. Ich stieß mich an ihrem Drang, wie sie sich nach dem Vorbild von Großbürgern mit einem Golfschläger in der Hand (oder gar mit dem Schläger auf der Schulter) fotografieren ließen. Ich beobachtete ihre falsch gelernte Lässigkeit, mit der sie ihre Billigschuhe auf die Ränder der Golfbahnen stellten. Und ich lachte über das peinliche Getue, mit dem sie dann an der Bar für ein paar Pfennige eine Cola bestellten. Sie fanden es überwältigend, die Imitation von Vorbildern zu sein, die niemals in ihrer Nähe auftauchen würden. Schon während der Nachahmung vergaßen sie, daß sie Nachahmungen waren. Nach etwa zehn Minuten fragte mich Frau Finkbeiner: Haben Sie nicht neulich gesagt, daß Sie eine Wohnung suchen?

Ja, sagte ich.

Suchen Sie immer noch?

Ich habe noch gar nicht richtig angefangen, sagte ich.

Wenn Sie mit einem kleinen Appartement zufrieden sind, könnte ich Ihnen vielleicht weiterhelfen.

Mehr als ein kleines Appartement kann ich mir gar nicht leisten, sagte ich.

Es ist mein Appartement, sagte Frau Finkbeiner. Ich werde in Kürze heiraten und aufhören zu arbeiten.

Oh, machte ich, weil mir sonst nichts einfiel.

Sie können in meinen Mietvertrag einsteigen, dann müssen Sie keine Maklergebühren zahlen.

Wo liegt das Appartement?

In der Stresemannstraße, sagte Frau Finkbeiner, in einem Neubau. Ich habe nur ein Jahr lang darin gewohnt, Sie müßten nicht unbedingt renovieren.

Wie hoch ist die Miete?

Hundertzwanzig, sagte Frau Finkbeiner.

Eigentlich hatte ich die Absicht, den Wunsch nach einer eigenen Wohnung noch eine Weile mit mir herumzutragen und ihn dabei deutlicher werden zu lassen. Dennoch sagte ich: Wann wird die Wohnung frei?

Zum nächsten Ersten.

Das ist bald, sagte ich.

Wenn Sie wollen, können Sie das Appartement gleich anschauen, wenn diese Darbietung hier zu Ende ist.

Nach zehn Minuten machten wir uns auf den Weg. Die Stresemannstraße lag am Rand der Innenstadt. Das Haus war ein einfacher, kastenförmiger Bau, vier Stockwerke hoch, mit kleinen Fenstern und nur angedeuteten Balkons. Frau Finkbeiners Appartement lag in der dritten Etage. Hinter der Eingangstür öffnete sich ein schmaler, niedriger Schlauch. Die linke Seite des Schlauchs war zu einer Kochnische ausgebaut. Auf der rechten Seite befand sich die Tür zu Toilette und Dusche. Der Raum am Ende des Flurs ähnelte einer groß geratenen Schachtel. Die Decke war niedrig, die beiden Seitenwände waren einander zu nah. Das Appartement war kaum mehr als ein Klo mit etwas Umgebung. Ich konnte dabei zuschauen, wie in mir ein Zellengefühl entstand. Dennoch war ich kaum bedrückt. Trotz der Enge fühlte ich die Erregung eines anderen, neuen Lebens, das in diesen Augenblicken seinen Anfang nahm.

Ich nehme die Wohnung, sagte ich.

An einem Montag, wieder in der Mittagspause, stellte mich Frau Finkbeiner der Wohnungsbaugesellschaft als Nachmieter vor. Im Büro nannte mich Frau Finkbeiner einen Kollegen. Als sie sagte, daß ich beim Tagesanzeiger arbeitete, mußte ich nicht widersprechen. Es gab damals kaum etwas Seriöseres als die Verbindung zu einem Lokalblatt. Ich mußte die Wohnung nicht renovieren lassen und ich mußte Frau Finkbeiner keinen Abstand zahlen. Nach einer halben Stunde war der neue Mietvertrag fertig. Frau Finkbeiner übergab mir die Schlüssel zu meiner ersten eigenen Wohnung. Auf der Straße war ich halb erregt und halb erschüttert. Der plötzlich greifbar gewordene Abschied von den Eltern machte mich weich und schwächlich. Der Krieg hatte meine Eltern grob, stumm und müde gemacht. Erst zwanzig Jahre später war es mir möglich, mich in dieses Restkriegsleben angemessen einzufühlen. Jetzt war ich auf unfrohe Weise froh, die Eltern in Kürze verlassen zu dürfen. Aus Schwäche stellte ich mich auf dem Marktplatz hinter ein paar Menschen, die einem Freizeitmaler beim Malen zuschauten. Der Mann hatte im Krieg beide Arme und beide Beine verloren. Sein Rumpf lehnte in einer Art Holzverschlag. Zwischen den Zähnen hielt er einen dünnen Pinsel, mit dem er ein kleines Stück Leinwand bemalte. In kurzen Abständen beugte der Mann den Kopf und tauchte den Pinsel in ein winziges Gefäß mit Wasser, das seitlich an seinem Holzverschlag befestigt war. MIT DEM MUNDE GEMALT stand auf einem Pappschild zu Füßen der Staffelei. Rings um den Holzverschlag lehnten ein paar fertige Bilder. Sie kosteten zwischen fünf und acht Mark. Tatsächlich überlegte ich, ob ich für meine Wohnung ein Bild kaufen sollte, aber dann fiel mir ein, daß ich nicht wußte, wie man einem Mann ohne Arme und ohne Finger ein paar Mark überreichen sollte. Während der Betrachtung des Mundmalers hatte sich meine Erschütterung aufgelöst. Das heißt, ich war erstaunt darüber, wie rasch unangenehme Gefühle verschwanden, wenn man nur die Schauplätze und Anblicke wechselte.

Mutter sah zur Seite und Vater erschrak, als ich zu Hause sagte, daß ich zum Monatsende ausziehen würde. Als ich Kind war, hat mir eine Weile die Sorgfalt gefallen, mit der Vater die Seife im Waschbecken aufbrauchte. Auch das letzte Fitzelchen Seife bewegte er so lange zwischen den Fingern, bis nichts mehr übrig war. Dann aber fürchtete ich mich immer öfter davor, daß Vater nach der Mutter auch mich so lange zwischen seinen Fingern reiben würde, bis er seine Familie völlig aufgelöst hätte. Aber jetzt, durch die Ankündigung meines Verschwindens, war ich plötzlich ein bewegliches Etwas geworden, das ihm lebend aus den Händen gesprungen war. Seit ich als Lehrling arbeitete, mußte ich die Hälfte meines Lehrlingsgehalts zu Hause abgeben. Vermutlich fürchtete Vater, daß mit meinem Auszug auch mein Beitrag zur Haushaltskasse ausfallen würde. Ich sah seinen Schrecken, den er auszusprechen nicht wagte. Deswegen war er sogleich freudig überrascht, als ich zusicherte, daß ich auch nach meinem Auszug die Familie weiter unterstützen werde. Vater traute sich nicht, sich nach meinen finanziellen Verhältnissen zu erkundigen. Wahrscheinlich wartete er darauf, daß ich selbst davon anfing, aber ich fing nicht davon an. Zum ersten Mal war er es, der zwischen uns zum Opfer eines Schweigens wurde. Als er sich wieder gefangen hatte, bot er mir an, als Gegenleistung für die Weiterzahlung meines Haushaltsbeitrags könne ich jede Woche meine schmutzige Wäsche bei Mutter abgeben. Mutter schwieg dazu, sie sah mich nur kurz an. Ich fragte mich, ob Mutter, als sie jung gewesen war, eher sensibel war und erst unter dem Einfluß ihres Ehemannes ein wenig derb werden mußte, oder ob sie schon in ihrer Jugend unzart war und deswegen auch einen entsprechenden Mann geheiratet hatte. Aber dann rief ich mich zur Ordnung und sagte zu mir: Dieses ganze Elterngerümpel wird dich in der neuen Wohnung nicht mehr belästigen.

Der Einzug in mein Appartement dauerte etwa zweieinhalb Stunden. Mein Bett und ein wenig Bettwäsche durfte ich von zu Hause mitnehmen. Von Frau Finkbeiner übernahm ich einen Tisch und einen Stuhl und die Gardinen am Fenster. Meinen Plattenspieler stellte ich auf den Boden, die Platten lehnte ich gegen die Wand. Weil ich mich davor fürchtete, zuviel Geld auf einmal auszugeben, richtete ich die Küchennische nicht ein. Für das Frühstück kaufte ich mir lediglich einen Wassertopf und einen Tauchsieder. Auch auf die Anschaffung eines Schranks verzichtete ich. Meine Kleidungsstücke gefielen mir ohnehin besser, wenn ich sie im Türrahmen hängen sah. Dort schauten sie bedeutsam aus und gaben mir das Gefühl des Aufbruchs. Am tiefsten beeindruckte mich, daß ich vom Bett aus meinen Arbeitstisch sehen konnte. Das Halbdunkel und die Stille am frühen Morgen stimulierten mich. Der Anblick des Sakkos (zerknittert), des Hemdes (verschwitzt), der Hose (staubig), der Erdreste an den Schuhrändern und der Schreibmaschine auf dem Tisch machte mich wortlos und zufrieden. Es war, als könnte ich meinem eigenen Blick dabei zuschauen, wie er aus einer bloßen Ansammlung von Gegenständen eine wunderbare

Verschwisterung der Dinge machte: ein Mysterium mit mir selber in der Mitte. Jetzt sah ich auf meine Unterwäsche und die Strümpfe, die ich lose auf die Bücherregale verteilt hatte. Es geschah nichts, ich fühlte die Erregung eines neuen Lebens. Ich war momentweise sicher, daß in diesem Zimmer, an diesem Tisch und an dieser Schreibmaschine mein Roman losgehen würde. Es beunruhigte mich nicht, daß ich vorerst nur Artikel für den Tagesanzeiger zustande brachte. Ich wusch mich oberflächlich, machte mir eine Kanne Kaffee, setzte mich an den Tisch und suchte nach Wörtern. Nein, ich suchte nicht, ich lauschte und lauerte. Ich legte eine Platte mit der ›Lyrischen Suite‹ von Alban Berg auf. Es waren kurze, ausdrucksstarke, leicht verzitterte Stücke, die gut zu meiner ruhigen Unruhe paßten. Ich sah auf die Straße hinunter, die um diese Zeit noch fast menschenleer war. Gerade dämmerte der Tag. An der gegenüberliegenden Häuserzeile ging die Zeitungsausträgerin entlang. Sie zog einen Kinderwagen hinter sich her, der bis oben hin mit frischen Zeitungen gefüllt war. Die Räder des Kinderwagens brachten ein wimmerndes Quietschen hervor, das auf wunderliche Art in die Suite von Berg eindrang. Manchmal ließ die Frau ihren Schlüsselbund zu Boden fallen. Obwohl die Frau dick war, bückte sie sich leicht und schnell. Jetzt öffnete sie eine Flasche Bier. Sie trank im Frühdämmer und schaute dabei die toten Hauswände entlang. Ich merkte, die Bilder sprachen in mich hinein. Die ersten Schwalben flirrten durch die Straße; um diese Zeit sahen sie noch wie Fledermäuse aus. Die Zeitungsausträgerin versenkte die halbleere Bierflasche in einer Ecke des Kinderwagens. Dann verschwand sie hinter einem Wohnblock, ich konnte sie für eine Weile nicht sehen. Kurz darauf zog Frau Meixner vom Obst- und Gemüseladen gegenüber die

Rolläden hoch. Kaum war der Laden geöffnet, sprang Frau Meixners Hund auf die Straße hinaus. Es war ein kleiner schwarzer Hund, der den ganzen Tag entweder aus dem Geschäft hinaus- oder in das Geschäft hineinlief. Draußen oder drinnen blieb er eine Weile liegen, dann sprang er wieder auf. Die Unruhe des Tieres machte mich ein wenig verzagt. Wenn ich als Kind verzagt war, ging ich durch die Wohnung und öffnete alle Schubladen. Ich griff mit der Hand in die geöffneten Schubladen und wühlte wahllos in den Dingen. Schon bald endete die Verzagtheit und es begann die Beschäftigung mit einem Gegenstand. Mir fiel ein, daß ich zur Zeit keinen Schrank und deswegen auch keine Schubladen hatte. Die Zeitungsausträgerin kam hinter dem Wohnblock hervor. Der Kinderwagen war jetzt so gut wie leer. In der linken Hand hielt die Frau die Bierflasche, Frau Meixners Hund sprang herbei. Die Zeitungsausträgerin ließ sich auf einem Betonsockel nieder und ruhte aus. Der Hund war nicht aggressiv, nur nervös und neugierig. Die Frau hob sich die Flasche an die Lippen und trank. Es war mir nicht recht, daß der Hund vor der Frau stehenblieb und sie fixierte. Ich fürchtete, die Frau könne sich herausgefordert oder beleidigt fühlen. Aber die Frau vertrieb den Hund nicht. Mit langen Zügen trank sie die Flasche leer und schaute dann auf den Boden. In einem Zimmer im Haus gegenüber flammte gelbes Licht auf und beleuchtete eine kleine Bibliothek. Ein älterer Mann im Schlafanzug betrat das Zimmer und suchte nach einem Buch. Der Anblick der Bücher machte alle Einzelheiten heimisch und zusammengehörig. Das Halbdunkel, die Fremdheit, die Bierflasche, die Stummheit, die Frau, der Hund, alles gehörte in die Welt. Vermutlich fühlte sich die Zeitungsausträgerin nicht beleidigt, ich hatte nur phantasiert. Ich konnte mich kaum vom Fenster trennen. Der Mann im Schlafanzug zog ein Buch aus einem Regal und knipste das Licht aus. Die Zeitungsausträgerin wischte sich den Mund ab, erhob sich und ging zum Straßenrand. Die leere Bierflasche ließ sie in ihrer Jackentasche verschwinden. Der Hund von Frau Meixner rannte zurück in den Laden. Am Straßenrand hielt ein Auto, ein junger Mann stieg aus und hob den Kinderwagen in das Auto. Vermutlich war der junge Mann der Sohn der Zeitungsausträgerin. Die Frau setzte sich auf den Beifahrersitz und wartete. Der Lärm auf der Straße wurde jetzt stärker. Der junge Mann fuhr mit der Zeitungsausträgerin davon. Hinter den Dachfirsten schob sich ein neuer Tag hervor. Ich hatte höchstens noch fünf Minuten Zeit. Ich war heute für die Entladung von sieben Waggons verantwortlich. Im Waschbecken der Toilette spülte ich die Kaffeetasse aus und stellte sie auf das Fensterbrett. Kurz darauf verließ ich die Wohnung. Ich fuhr direkt zur Außenstelle des Arbeitsamtes und engagierte acht Tagelöhner.

Zwei Tage später war Wochenende. Am Sonnabend mußte ich nicht arbeiten. Ich erwog, meine Eltern zu besuchen, kam dann wieder davon ab. Es war sonderbar, mit den Eltern in der gleichen Stadt zu leben und sie nicht sehen zu wollen. Der Tag war leicht und hell und warm. Ich beschloß, in einem Terrassen-Café in der Innenstadt zu frühstücken. Die Straßen wimmelten von Menschen und Tönen und Anblicken. Vor mir ging eine ältere Frau. Am Absatz ihres linken Schuhs war ein Stück braunes Klebeband hängengeblieben, was die Frau nicht zu bemerken schien, obgleich bei jedem ihrer Schritte ein knappes Schleifgeräusch am Boden entstand. Hörte die Frau schlecht? Oder war ihr das Geräusch gleichgültig? War ihr vielleicht alles egal? Der Einfall weckte mein

Interesse an der Frau. Schon immer wollte ich einen Menschen kennenlernen, dem *alles* egal war. Die Leute, die ich kannte, *sagten* immer nur, ihnen sei alles egal. Aber es genügte, sie ein wenig zu beobachten, und schon wurde deutlich, daß ihnen nichts egal war. Noch während ich grübelte, ob es wenigstens einen Menschen gab, dem alles egal war, verlor ich die Frau mit dem Klebeband aus dem Blick. Ich betrachtete die Schluckbewegungen eines Vogels, der aus einer flachen Regenpfütze trank. Die vielen Details um mich herum beglückten mich. Das Verstricktsein in sie versetzte mich in den Zustand des selber romanhaften Lebens. Am Rande eines kleinen Platzes betrat ich ein Terrassen-Café. Ich setzte mich an einen freien Tisch und bestellte ein Kännchen Kaffee und zwei Plunderhörnchen. Zwei Frauen am Nebentisch empörten sich leise über amerikanische Touristen, die Coca-Cola aus Rotweingläsern tranken. Vor meinen Augen trug ein Kind einen großen runden Laib Brot vorüber. Das Kind drückte sich das Brot mit beiden Händen gegen die Brust. Beim Verlassen des Bürgersteigs stürzte das Kind. Im Sturz ließ es das Brot nicht los. Das Kind fiel nach vorne, aber es gelang ihm, eine Berührung des Brotes mit dem Straßenschmutz zu vermeiden. Rasch erhob sich das Kind und untersuchte zuerst das Brot und dann sich selbst. Die Amerikaner und die sie kritisierenden Frauen waren von dem gestürzten Kind gefesselt. Das Brot war nicht beschädigt, nur leicht eingedrückt. Die Arme des Kindes waren nicht verletzt, nur ein wenig zerkratzt. Sekunden später ergab sich eine Blickkette. Das Kind entdeckte seine Betrachter und sah sie kurz nacheinander an. Erst die beiden Frauen, dann mich, dann die Amerikaner. In der Blickkette stießen das heimliche und das öffentliche Leben sanft aneinander. Das Kind sonnte sich in der Huldigung seiner Betrachter und hob das Brot kurz in die Höhe, dann verschwand es. Ich zweifelte nicht, daß ich mich in einem ungeschriebenen Roman bewegte. Ich sah auf mein Frühstück herunter und wartete auf das Aufzucken des ersten Wortes.